PREMIER ROMAN

MAZARINE PINGEOT

PREMIER ROMAN

ÉDITIONS JULLIARD
24, avenue Marceau
75008 Paris

Ouvrage publié sous la direction de Betty Mialet

ISBN 2-260-01495-X

À mon père.

*Jeunes gens le temps est devant vous comme un
cheval échappé*

*Qui le saisit à la crinière entre ses genoux et le
dompte*

*N'entend désormais que le bruit des fers de la bête
qu'il monte*

*Trop à ce combat nouveau pour songer au bout de
l'équipée.*

ARAGON,
La Beauté du diable.

1.

Agathe n'aura pas vu Paris en septembre. Elle avait préféré rester dans le Sud, s'attarder en compagnie de Victor dans la maison de pierre. Seuls, sans télévision, sans voisins, sans loisirs ; seuls dans une lande déserte, une Provence sauvage, tissée de buissons arides et de pierres blanches, de végétation rase et violette, seuls sous un ciel sans tache, ciel du possible et de l'illimité.

Agathe avait rêvé un peu, marché, écouté de la musique, et s'était nourrie de livres, sa vraie patrie. Victor avait écrit et beaucoup lu, moitié philosophie, moitié littérature.

Agathe et Victor vivaient ensemble depuis plus de deux ans. Ils s'étaient connus jeunes et les débuts avaient été difficiles. Agathe avait déjà eu quelques expériences plutôt ratées, plutôt nombreuses. Elle était pour Victor la première femme qu'il aimait. Il était lent, elle souvent trop pressée. En lui apprenant la patience, il avait su la convertir à la durée, à la jouissance du temps qui passe et où il ne se passe rien. Elle était plutôt frivole, attirée par le plaisir en général, sensuelle et intellectuelle à la fois, Victor était

sentimental, illogique, peut-être romantique. Ils
avaient en commun d'aimer créer des mondes,
d'inventer des règles qui allient la pureté au plaisir, la
liberté à l'excès. Ils s'en tenaient à quelques principes : vivre sans tabou ce qu'il semble important de
vivre. Ne pas faire souffrir l'autre mais ne rien s'inter-
dire. Mener le maximum d'existences possibles et
parallèles. Parce qu'ils s'aimaient, ils avaient le droit
de s'offrir mutuellement la liberté. C'était leur forme
de fidélité, une fidélité profonde, intégrale et souple.

Victor avait accepté sans réserve cet engagement. Il
avait horreur des couples où deux ne forment qu'un,
monstre hybride et ennuyeux, pour qui la séparation
est une hantise, l'aliénation un mode de vie. Il avait
confiance en Agathe. Pourtant, l'imaginer au bras
d'un autre homme lui était insupportable. C'était une
réaction physique primaire, une répulsion, un fré-
missement. Qu'un autre puisse la toucher, sa propre
chair en était meurtrie. Il savait que, de retour à Paris,
on la séduirait, encore et toujours. Et il aimait qu'elle
aimât être séduite.

Il la regardait avec inquiétude.

Comment avait-elle pu le choisir ? Quand il l'avait
rencontrée, elle était très sollicitée et Victor, exces-
sivement modeste, se trouvait plutôt terne à côté des
hommes qui l'entouraient de leur convoitise. Elle
avait pressenti en lui une personnalité singulière qu'il
ne soupçonnait pas.

Une mèche brune retombait sur une joue bronzée,
des yeux jaunes, la peau lisse et mate, un corps parfaitement arrondi et svelte. Elle était belle parce que
vivante. Une vie qui transparaissait dans un regard, un
sourire ou une colère. Les hommes l'intéressaient, il
ne pouvait rien y faire. S'y opposer aurait été la pire
des erreurs, un contresens psychologique.

Victor craignait cette rentrée ; l'année serait difficile pour lui. Il était déjà surchargé de travail. Agathe
continuerait sa thèse et il savait, à l'avance, qu'elle ne
pourrait ni s'empêcher de travailler, ni se priver de
sortir. Il n'avait pas envie de perdre l'Agathe du Sud,
mais la fin de leur parenthèse était imminente. Il la
devinait impatiente de retrouver Paris même si elle
s'en défendait. Elle avait besoin des regards et des
rires, des longues soirées noyées de vin et de discussions véhémentes. Elle avait besoin de son travail,
de ses professeurs, de ses amis.

Victor et Agathe rentrèrent à Paris. Leurs amis les
attendaient avec impatience. C'était un couple qui
plaisait.

Victor aussi était séduisant. Cheveux noirs en
bataille, œil noir, la force qui émanait de son corps
solide dissimulait une âme non pas fragile mais sensible. Agathe était plus dure que lui, plus forte pour-
rait-on dire, mais ce serait confondre la force et la
dureté, la sentimentalité et la faiblesse.

Tandis qu'Agathe renouait immédiatement avec
ses proches, Victor s'exila dans un Paris que ses amis
ne fréquentaient pas. Il lui était difficile de revêtir
cette identité faite de patchwork urbain sans perdre un
peu de cette intégrité qu'il acquérait dans le Sud, loin
de tout et de tous, proche de lui, enfin, proche
d'Agathe aussi.

En revanche, celle-ci était indéniablement parisienne ; cette identité seconde, faite de lieux, de personnes, de soins, et de travail, bref de fragments épars,
la ressaisissait de l'intérieur et malgré elle, comme le
souffle d'une vie nouvelle, qui se greffait sur ses profondeurs.

En se promenant dans les quartiers les plus excen-
trés, Victor se sentait apatride et jouissait du plaisir de
se perdre dans sa propre ville. Il en voulait à Agathe
de n'avoir pas souhaité, elle aussi, renoncer progressivement à leur isolement et ne pouvait s'empêcher
d'assimiler son refus à une forme de trahison. Pour
marquer son ressentiment, il se complaisait dans cette
agréable et pourtant amère solitude. Il lisait au hasard
de ses promenades ensoleillées ou laissait son regard
se perdre dans les feuillages jaunis, le ciel encore
bleu, l'avenir incertain. Il hantait en touriste les lieux
qu'il habitait. Cette rencontre avec un Paris étranger
lui rappelait à quel point sa ville pouvait être belle,
étonnante, infinie.

Victor déambulait dans le douzième et le vingtième
arrondissement ; les deux quartiers où il se rendait
lorsqu'il était seul et errait de bistrot en bistrot, un sac
plein de livres à l'épaule. À partir de sept heures du
soir, il renonçait aux espressos pour un verre de vin
rouge, puis deux, puis trois. Plus tard, il rentrait chez
lui après avoir écrit plusieurs pages de l'essai qu'il
tentait de mener à terme, avoir relu du Dostoïevski,
commencé un roman ou savouré pour la énième fois
quelques lettres de Descartes, choisies au hasard.

Les rues de Belleville bruissaient de vies différentes, de couleurs, de langues. Dans le jardin
public, les enfants jouaient au milieu des fontaines,
s'aspergeaient d'eau et se lançaient des injures ; des
jeunes filles lisaient au soleil, les pieds dans l'eau.
Victor aimait ces mélanges de peaux et de religions.
Fils d'un émigré polonais, il était né dans le dix-
huitième arrondissement, mais n'y retournait jamais
sans éprouver un sentiment de malaise. Son père habitait encore là, au milieu de ses souvenirs noirs ; souve-

nirs du pays, souvenir de sa femme, d'une vie passée
de lutte en lutte auprès de deux garçons qu'il avait dû
élever seul, sachant à peine parler français. Victor, en
passant dans son ancienne rue, retrouvait chaque fois
la mémoire amère de cette austérité accablante qui
hantait l'appartement sombre dans lequel son père,
luthier de formation, travaillait le bois. Il se rappelait
ces heures d'obscurité dans la chambre qu'il partageait avec son frère Dimitri, les rideaux marron, la
moquette pourrie ; cette chambre qui sentait le renfermé et la cigarette, et dont il s'évadait en rêvant à
des mondes inaccessibles. Victor avait toujours eu la
nette conscience qu'il saurait s'échapper de cet univers misérable et douloureux. Et s'il avait travaillé
avec hargne, obéissant à son ambition, il n'avait
jamais pu se soustraire au rêve, comme s'il tenait à
payer une dette insolvable à son enfance.

Comme à travers une vitre embuée, il observait les
gens. Le monde qui l'entourait vivait en lui, passé au
crible d'une conscience confuse, en suspens dans un
halo de bien-être. Il contemplait les jeunes filles d'un
regard prude, presque esthétique. Puis il finissait par
céder aux fantasmes, conscient et amusé. À la fin de
l'après-midi, il les désirait mais d'un désir diffus,
informe, qui ne se concrétiserait que lorsqu'il caresse-
rait le corps d'Agathe. Quant aux vraies femmes qu'il
croisait, ces femmes qui auraient pu avoir l'âge de sa
mère, il osait à peine les regarder. Agathe détestait ce
renoncement lié à l'éducation puritaine imposée par
son père.

Victor réfléchissait à tout cela en sirotant son premier verre. Le vin le faisait toujours penser à Agathe,
peut-être parce qu'il avait commencé à apprécier le
bordeaux en sa compagnie. Ils avaient pris l'habitude

de se promener la nuit et de boire des bouteilles entières au fond d'un café, à jeun et pourtant à peine ivres, juste un peu gris. C'est son père qui avait initié Agathe à l'amour des grands crus. Elle avait douze ans. Aujourd'hui, il ne se passait pas un soir sans qu'elle dégustât deux verres au minimum. Victor appréciait la gourmandise d'Agathe. Pour elle, chaque gorgée était une jouissance. Les actes les plus anodins devaient être vécus avec la même exigeante intensité : manger une omelette ou du foie gras, boire du lait ou du whisky, installer une nouvelle lampe ou acheter des draps. Chaque instant devait apaiser l'insatiable curiosité de cette fille avide d'espace et de rencontres, d'expériences et de sensations.

Victor éprouvait un vague effroi devant cette aventure inconnue où Agathe voulait l'entraîner. Agathe vivait dans un monde qu'elle avait transformé à sa guise pour faciliter son existence et lui conférer un sens. Depuis l'enfance, elle sculptait sa personne. Pour elle, la vérité s'adaptait à la vie. Son arme favorite était le mensonge par omission. Puisqu'elle mettait en doute la valeur de la vérité telle qu'on la conçoit ordinairement, pourquoi s'offusquerait-elle du mensonge ? Agathe incitait Victor à dépasser les limites dans lesquelles il avait toujours vécu, transgresser les frontières de son éducation mais aussi de sa sensibilité, oublier les principes austères inculqués par un père solitaire, échapper à la présence toujours prégnante de sa mère trop tôt disparue. Cette mère qu'il n'avait pas connue mais dont la mémoire idéalisée hantait le deux-pièces de son enfance, creusait des rides prématurées sur le visage de son père, habitait les rêveries de Victor et de son frère Dimitri qu'il avait pris en charge dès son plus jeune âge. Celui-ci admirait si violemment Victor qu'il en était tombé amoureux d'Agathe. Elle représentait, à ses yeux, la femme inaccessible, métaphorique, la femme par excellence. Il en rêvait la nuit, imaginait sa peau, son parfum ambré, ses lèvres rouges de sang, ses yeux si jaunes qu'ils paraissaient noirs. Malgré l'interdit, Dimitri éprouvait une folle envie de toucher la compagne de son frère et Agathe n'était pas insensible à son regard avide et à ce désir ardent qu'il ne cherchait plus à dissimuler. Cette ferveur amusait la jeune fille bien qu'elle exaspérât Victor. Lorsqu'il les avait présentés l'un à l'autre, il avait eu conscience du risque qu'il prenait en mettant en présence ces deux adeptes du plaisir. En sirotant son deuxième verre de vin, Victor songea qu'il était possible qu'Agathe cède, un jour, au charme de Dimitri. Il savait qu'elle le trouvait séduisant et drôle. Pourquoi résisterait-elle ? Son frère était moins compliqué, plus social, moins rêveur. Et les absences de Victor, au milieu d'une conversation entre amis, son regard perdu en d'autres mondes, irritaient Agathe ; elle le lui avait souvent dit. Pourtant, c'est avec lui qu'elle vivait. Peut-être était-ce une simple affaire de hasard. Il l'avait rencontrée le premier. Leur histoire pouvait-elle reposer sur une question de chronologie ? Cette idée terrifiait Victor. Tout ce qui touchait à Agathe l'angoissait, mais paradoxalement la seule évocation de son existence éloignait aussitôt toutes les craintes. Alors, au lieu de se ronger vainement, il reprit sa contemplation des jeunes filles et des fleurs.

2.

Agathe se promenait au bras d'Hadrien.

Elle était tellement heureuse de le revoir, après ces longues semaines d'absence. Hadrien avait le même âge qu'Agathe. Ils se connaissaient depuis près de sept ans. Après une ou deux années de camaraderie superficielle, ils s'étaient découvert l'un pour l'autre une passion tout à fait exceptionnelle ; une passion incompréhensible et indicible qui n'était pas de l'amour, mais un besoin l'un de l'autre aussi vital que leur propre souffle ; ce genre d'attachement quasi incestueux, plus complet que la simple attirance amoureuse, plus ample, et plus profond.

Lorsqu'ils s'étaient rencontrés, ils avaient quinze ans. Hadrien ne connaissait rien en dehors de son milieu catholique pratiquant qui l'étouffait. Il détestait sa famille, n'aimait pas son père, un homme relativement strict, mais surtout gris, sans personnalité, soumis à l'autorité intransigeante de sa femme. Hadrien haïssait sa mère. Castratrice, fanatique, elle infligeait à ses enfants la promiscuité de veuves aigries, de tantes vieilles filles et bigotes et des enfants d'un oncle divorcé dont il convenait d'avoir pitié. Elle dissimulait sous sa compassion hypocrite le mépris profond que les autres lui inspiraient Une allusion échappait bien parfois, lors du repas du soir, après les bénédictions, au sujet de la « fille mère » de l'étage du dessous, qu'il ne serait peut-être pas décent de garder comme locataire, ou de cet « israélite de concierge », qui, paraît-il, avait bien souffert durant la dernière guerre, on ne sait pas exactement pourquoi mais qui ne devrait pas fêter le jour de l'an aussi bruyamment, quand Noël n'était pas encore arrivé. Les gosses du quartier avaient encore « écrit » des injures sur la porte du garage ; ce n'était d'ailleurs pas vraiment des enfants, plutôt des « petits Portugais » ; du moins c'est ainsi qu'on les appelait à la maison. Il y avait « la Marocaine qui faisait le ménage », une « bonne fille », un peu tête en l'air, mais efficace. Cependant, après réflexion et expérience, les plus propres étaient les « Vietnamiennes ».

Hadrien étouffait. Hadrien souffrait.

Il détestait sa mère qui l'avait envoyé directement à confesse lorsqu'elle l'avait surpris en train de se masturber dans la salle de bains. Elle avait pleuré toutes les larmes de son maigre corps, enfermée dans sa chambre, assurant à son fils qu'elle n'en dirait rien à son mari, pour ne pas le blesser. Elle sanglotait : « Tu es la honte de ta famille... Quels péchés avons-nous commis pour mériter un tel châtiment ?... Est-ce une vengeance du ciel ?... La liaison de ton père que nous continuons tous à expier ?... Tout vient de là, c'est certain... Faites entrer le vice dans une famille honnête, et elle le paiera jusqu'à sa dernière heure... Nous sommes punis, et cela est juste ; j'accepte de porter le poids de tes péchés mais sache quelle souffrance tu me fais subir... As-tu juré de nous gâcher la vie ? »

« Cesse de parler de vie, criait Hadrien dans sa tête. Tu n'es que mort, putréfaction, ignominie », et il disait en sanglotant : « Pardon, pardon ! Je te demande pardon à genoux ! »

Par amour pour sa mère, Hadrien aurait pu mettre fin à sa propre vie. Agathe lui coupa net ce désir morbide de suicide larmoyant. Elle le fit basculer de l'amour culpabilisé à la bonne et franche haine.

Agathe détestait la mauvaise conscience. Pour elle, les catholiques avaient inventé le concept criminel du vice pour assurer leur pouvoir sur les êtres faibles. Elle avait pu observer ces manigances chez son propre grand-père. Considéré dans son pays comme un homme remarquable, exhibant une foi inébranlable, toujours prêt à évangéliser les foules, il avait pourtant empoisonné la vie de ses enfants et de sa femme par sa pudibonderie hypocrite, sa haine des autres, son mépris des petites gens. Pour Agathe, c'est d'abord cette pratique du catholicisme qui avait plongé sa mère dans la souffrance, provoqué le suicide de son oncle et la longue agonie dans l'alcool et la drogue de sa grand-mère.

Ancien professeur de lettres classiques dans une université catholique au Chili, c'était un érudit qui avait enseigné le français à ses enfants en même temps que l'espagnol, dès leur plus jeune âge. Agathe l'avait vu lors d'un séjour en France qu'il avait effectué pour faire la connaissance de sa petite-fille, et tenter de renouer avec sa fille qui avait rompu tout lien avec son pays d'origine. Elle assimilait donc les méfaits du catholicisme au mutisme de sa mère sur tout un pan de sa vie. Peut-être cela n'était-il pas étranger au fait qu'Agathe devait sauver Hadrien, anéanti par quinze ans d'éducation chrétienne prodiguée par une psychopathe.

Elle lui apprit à regarder ce monde en face. Il n'osait même pas s'avouer les répugnances physiques que sa mère lui inspirait : ses cheveux poivre gris, tirés parfaitement en arrière, mais qui laissaient échapper, en fin de journée, quelques mèches, comme un reproche ; ses yeux de chien battu qu'elle posait sur lui lorsqu'il rentrait de l'école et qui s'humidifiaient aussitôt ; sa peau fripée, cendreuse, sèche ; son corps décharné semblait si fragile qu'on n'osait pas le toucher de peur de le casser. Hadrien avait ce corps osseux en horreur. Même le mot de « maman », il n'osait pas le prononcer. Pourtant, lorsqu'il avait six ans, avant de s'endormir, il aimait à répéter allègrement, sans que personne puisse l'entendre, le mot défendu. Un jour, le plaisir de l'interdit lui passa ; il désirait tant qu'elle vienne le prendre dans ses bras avant de se coucher, qu'il imagina que c'était cette transgression qui l'empêchait, elle, de venir dans sa chambre. Il refoula ses tentations, afin de l'attirer secrètement auprès de son petit lit d'enfant ; mais jamais elle ne vint. Alors, il se sentit coupable. Il ne savait pas exactement de quoi, mais il était évident qu'il avait commis quelque péché dans son enfance qui expliquait tout. Hadrien vivait dans la culpabilité permanente. Ses frères et sœurs ne lui étaient d'aucune aide ; ils enduraient le même martyre.

Agathe ne supportait pas de voir cet être sensible et intelligent brisé par une névrosée. Elle entreprit de lui expliquer, longuement et patiemment, de quelles armes se servait sa mère. Elle le tyrannisait. Certes, elle avait souffert, elle le répétait à tort et à travers. Mais qui n'a pas souffert ? Et cela donne-t-il le droit de faire souffrir les autres en retour ? À quel titre gérait-elle la vie de ses enfants pour se venger de sa

propre misère ? Beaux sacrifices qui se retournent
contre ceux à qui on les prodigue ! Cette mère avait un
don extraordinaire pour manipuler les consciences, et
elle s'en servait sans vergogne. Hadrien était son
cobaye préféré. C'était un privilège qui le faisait
jalouser par ses frères et sœurs. Détruits psycho-
logiquement et moralement, dénués de toute intuition
et privés d'intelligence, ils étaient incapables d'aimer.
Hadrien seul gardait sous la cendre un germe de
révolte. Agathe lui permit de le développer en lui faisant comprendre de quel piège il était prisonnier.
Lorsqu'il sut lire sous la charité chrétienne cette justification malhonnête d'une classe entière, pudibonde
et tyrannique, peureuse et rancunière, lorsqu'il parvint
à résister à la mauvaise conscience qu'on lui
inculquait, il se révolta à s'en rendre malade. C'était
donc de la haine que sa mère lui vouait. Il ne pouvait
désormais lire sous la sollicitude étouffante qu'un ressentiment si funeste qu'il en aurait préféré la mort.
    Mais Agathe était là, et Agathe était vie.
    Alors, il préféra la vie.
    D'autant qu'il n'avait aucune raison de se
plaindre : pas de souci d'argent, pas de drames personnels, pas de handicap particulier... Pourquoi
s'enfermait-il dans le malheur ? De cela aussi, il se
sentait coupable.
    Agathe condamnait la culpabilité et refusait
d'accepter les souffrances inutiles.
    « Arrête de geindre, Hadrien, lui disait-elle sans
ambages, ta mère est une vieille sorcière, ta mère est
une belle salope, elle respire la haine et l'aigreur. Ton
père se tait ?... Qui ne dit mot consent !... N'est-ce pas
lui que l'on aperçoit chaque soir, derrière la vitre
fumée de la Rotonde, en train de siroter un dernier

whisky ; cet homme ivre de malheur et d'exaspération, mais ivre aussi de faiblesse. Tu ne souffres ni de
la faim ni du froid, mais il est des fléaux d'égale
cruauté ; l'hypocrisie et la haine d'une mère en font
partie, si j'en juge aux abominations qu'elle t'inflige.
Tu as honte de toi, parce qu'elle t'a appris la honte. Il
faut te débarrasser de cette honte. Ta vie t'appartient,
retourne-la contre ta mère, c'est son pire ennemi. La
vie aura le dernier mot... »

D'une certaine manière, Agathe avait sauvé
Hadrien et s'était sauvée du même coup. Ils s'étaient
construits ensemble. Depuis, ils ne s'étaient pas quittés. Leur amour, leur amitié, leur fraternité, était
aujourd'hui indélébile.

Il n'avait jamais été question de sexe entre Agathe
et Hadrien. Ils s'étaient connus trop jeunes ; le sexe,
entre eux, aurait été un contresens. « Si un jour, tu
aimes une femme, c'est en l'embrassant que tu le lui
prouveras, c'est par ton corps, aussi, que tu la rendras
heureuse. » Agathe avait seize ans lorsqu'elle lui tint
ce discours. Elle ne savait pas très bien jusqu'où
s'étendaient les ressources de la jouissance sexuelle,
mais rien dans la chair ne la dégoûtait. Les corps
l'attiraient, l'intriguaient, lui plaisaient.

Plus tard, Agathe avait connu des garçons et
Hadrien en avait éprouvé de la jalousie. Il savait
qu'elle l'aimait plus que quiconque mais ne pouvait
revendiquer ce privilège à tout bout de champ. Elle
avait le droit d'exister. Agathe encouragea Hadrien à
rencontrer des filles, mais il y fut longtemps réfractaire. Il n'avait qu'un amour : celle qu'il ne posséde-
rait jamais. En échange, il avait le gage de sa fidélité.

Et puis Agathe avait rencontré Victor. Pour la première fois, elle lui avait caché une partie de sa vie.

Jamais elle ne lui parlait de son nouvel amour. Elle avait beau le rassurer : il était normal qu'un jour elle s'attachât plus profondément à quelqu'un, cela n'affecterait en rien leurs rapports. Pourtant, il souffrait d'un violent sentiment de trahison.

Agathe en était malheureuse, mais que pouvait-elle faire ? Il n'était pas question qu'elle se sacrifie pour lui, elle menait sa vie. Pourquoi ne comprenait-il pas que rien n'était changé entre eux ? C'était la première vraie épreuve qu'ils traversaient ; ils devaient faire front s'ils voulaient prouver la force qui les liait. Comment pouvait-il lui demander de renoncer à quoi que ce soit ? De quel droit ? Comment avait-il pu douter de sa loyauté ? S'il n'acceptait pas qu'elle aime un homme, alors il n'avait rien compris à la nature de leur relation.

Hadrien savait tout cela, mais comment le tolérer, comment le vivre ?

Après un an de crise, de jalousie, de mutisme qu'Agathe endura sans lâcher prise, Hadrien renonça à l'exclusivité. Il consentit à rencontrer Victor et les deux garçons s'acceptèrent sans autre cérémonie.

Hadrien se sentit plus fort, plus riche aussi, invincible face aux événements qui pouvaient attaquer le lien qui l'unissait à Agathe. C'était elle qui lui avait permis de gagner ce combat, mais c'était lui qui l'avait mené. Il ne l'en aima que davantage mais différemment.

3.

Tout en se promenant, Agathe racontait à Hadrien les livres qu'elle avait lus, ses projets pour l'année, ses recherches en philosophie. Il lui posa à nouveau quelques questions sur son couple. Bien que le tabou soit levé depuis qu'il avait accepté leur relation, elle maintenait un ton impersonnel pour parler d'elle et de Victor. Elle n'évoquait jamais son bonheur : la présence d'Hadrien le rendait impudique.

Ils se promenaient dans la rue Mouffetard. Elle retrouva la boulangerie où elle achetait, jadis, ses gâteaux. Ils s'installèrent dans un café qu'ils avaient fréquenté des années durant, lorsqu'ils étaient encore élèves à Henri-IV. Elle commanda un chocolat chaud, lui une bière. Ils avaient déjà beaucoup marché et parlé ; le Marais, la rue des Francs-Bourgeois, la place des Vosges et celle de la Bastille, le port de Paris où ils s'étaient arrêtés quelques minutes, silencieux, serrés l'un contre l'autre, une envie de sieste heureuse dans les veines. Ils avaient repris leur promenade pour monter en haut de l'Institut du monde arabe et observer Paris, ensoleillé ; ils y avaient bu un thé à la menthe. Il avait été alors question d'Hadrien et de

l'évolution de ses rapports avec les autres : ils devenaient plus simples, moins exclusifs, moins exigeants,
plus agréables. Il avait rencontré lors d'une soirée un
type incroyable, un Noir américain saxophoniste qui
commençait à être connu et qui l'avait invité à des
répétitions. Il devait absolument le lui présenter, d'ailleurs il lui avait déjà parlé d'elle. Il avait aussi vu
Paul, un de leurs amis communs ; ils étaient partis
quarante-huit heures pour Londres, avaient visité trois
musées par jour, étaient sortis chaque soir dans les
restaurants et bars qu'ils avaient découverts en errant
dans les quartiers en vogue ; ils étaient revenus épuisés, mais ravis. Agathe l'écoutait énumérer ses week-
ends et sorties, tout en contemplant Notre-Dame. Elle
était heureuse de l'avoir retrouvé. Il faisait tellement
partie d'elle-même qu'elle se sentait incomplète
lorsqu'il était loin. La voix d'Hadrien était comme
une musique parisienne, une musique d'enfance. Elle
se pencha pour mieux le voir. Il avait beaucoup
changé. Quand elle l'avait connu, il était le plus petit
de la classe, un peu maigre, le regard apeuré, timide. Il
s'habillait horriblement mal. Comment avait-elle pu
le remarquer ?

Par hasard, elle s'était assise à côté de ce même laid
et insignifiant, mais qui semblait si fragile qu'elle en
prit pitié. Dès le départ, il fit preuve d'une intelligence
remarquable et sa pitié se transforma, à son propre
étonnement, en admiration. Ce type devinait tout : les
situations, les gens, les regards, les rapports humains.
D'où lui venait cette sensibilité, et pourquoi, en
comprenant si bien le monde qui l'entourait, se trompait-il autant sur lui-même ? Il ne parlait jamais de lui,
ni de ses frères et de ses sœurs qu'Agathe connaissait
pour les avoir croisés dans la cour et les couloirs du

lycée. Tous aussi disgracieux et gris que leur frère. Ce secret l'intrigua, si bien qu'elle finit par le questionner habilement, puis elle parla d'elle, et c'est cela qui finit par libérer Hadrien. Il commença par faire attention à ses tenues qu'Agathe, avec sa franchise habituelle, jugeait hideuses. Sa mère remarqua cette coquetterie soudaine et lui interdit de s'acheter en cachette avec ses maigres économies des vêtements neufs. Elle le surveilla, supervisa le choix de ses habits et tint à l'accompagner jusqu'à la porte du lycée. Deviendrait-il superficiel et léger comme tous les enfants de son âge ? Étaient-ce les goûts de sa mère qu'il critiquait ouvertement ? Lui reprochait-il quelque chose ? Pourquoi se taisait-il, l'ingrat ?

Dans ce combat, Hadrien ne lâcha pas prise. Il avait l'amour d'Agathe à conquérir et cette rencontre était la plus belle chose qu'il ait connue dans sa vie. Elle se moquait gentiment de son mauvais goût légendaire et il en souffrait chaque jour davantage. Un jour, il avoua que sa mère lui interdisait de porter des jeans. Il aurait aimé en mettre comme tout le monde, mais elle voulait le voir soigné. Il ne pouvait pas s'y opposer, elle avait tant souffert pour qu'il fût heureux.

Agathe s'engouffra dans cette première brèche. Elle eut l'intuition de l'ampleur du désastre et entreprit, dès lors, de sauver ce malheureux garçon. Des raisons plus profondes que la pitié avaient dû l'en convaincre ; mais le temps n'était plus à l'élucidation.

Hadrien s'habilla mieux, son visage s'épanouit, son corps se muscla et il grandit. Il entra alors en conflit avec ses parents. Il sentait bien l'approbation silencieuse de son père à son endroit lorsque sa mère criait, pleurait, l'accusait de tous les crimes possibles et imaginables, mais ça ne lui était pas d'un grand secours.

Quand Agathe lui proposa de s'installer chez elle, il
éleva contre cette proposition des résistances psychologiques innombrables : « Devait-il partir de chez lui
comme un étranger, un intrus, un voleur ? N'était-ce
pas son foyer et sa mère qu'on lui demandait de quitter ? » puis il revenait à la raison : « c'était sa mère,
certes, mais une mère cruelle, une mère haineuse, une
famille étouffante, sinistre, morbide ». Au bout de
trois mois de tergiversations, il fit ses bagages, et partit la nuit, en laissant derrière lui un seul mot ;
« L'ambiance dans cette maison est irrespirable, je
préfère la vie. Merci pour tout et bonne chance.
Hadrien. »

Agathe l'attendait, surexcitée. Elle avait demandé à
sa mère de préparer le plat préféré d'Hadrien. Ses
parents ne s'étaient pas autrement étonnés d'avoir à
accueillir chez eux ce nouveau venu, ce faux orphelin,
l'ami perdu de leur fille. Agathe ne sut jamais quels
arguments son père avait utilisés pour convaincre les
parents d'Hadrien de laisser leur fils s'installer chez
des étrangers. Il reconnut simplement que l'entretien
avait été fort désagréable.

L'emménagement d'Hadrien représentait pour
Agathe et ses parents un événement d'une gravité
démesurée dont le sens échappait au jeune homme.
Les parents d'Agathe semblaient faire confiance à
leur enfant pour une raison mystérieuse. Ils la laissaient gérer sa vie et la maison à sa guise. La liberté
qu'ils lui accordaient était absolue, presque trop
entière pour ne pas avoir l'air d'une dette. Ni son père
ni sa mère ne refusaient jamais ce qu'elle jugeait bon.
Elle n'avait pas besoin de longs discours pour
convaincre mais n'avait pas non plus l'habitude de
faire des caprices. Le père aimait sa fille plus que de

mesure bien qu'il menât sa vie de son côté. Agathe avait des rapports plus compliqués avec sa mère, mais, au bout du compte, elles s'entendaient bien. L'un comme l'autre étaient rarement présents à la maison et les détails de leur existence semblaient inconnus de leur fille qui ne les questionnait pas. Elle aussi volait de ses propres ailes sans jamais rendre de comptes. La confiance absolue que se portaient ces trois personnes permettait cette harmonie, mais il y avait autre chose d'insaisissable qui troubla quelque temps Hadrien, comme un secret latent qu'Agathe et son père semblaient mieux vivre que la mère de la jeune fille. Hadrien ne fut jamais indiscret. Si quelque chose devait être su, Agathe le lui dirait en son temps. Il apprenait la patience depuis qu'il commençait à émerger de l'enfance. Il avait appris aussi la fidélité. La franchise et l'attachement qu'Agathe lui manifestait viendraient à bout, le temps venu, d'un silence dont il ne souffrait pas.

Une des chambres du dernier étage se libérerait bientôt et le père d'Agathe avait décidé de l'acheter. C'est là qu'elle comptait à terme loger Hadrien. Pour le moment, il dormirait dans la chambre d'ami mitoyenne à la sienne. Il était important qu'il ait une indépendance suffisante pour vivre dans un nouvel environnement. À vrai dire, la famille ne se réunissait vraiment que dans les grandes ou graves occasions. Le reste du temps, Agathe voyait ses parents séparément. Elle dînait souvent en tête à tête avec son père, et passait voir sa mère à son bureau, chaque fois qu'elle en éprouvait l'envie. Elle entretenait ainsi des relations chaleureuses avec chacun d'eux, mais la maison restait la plupart du temps vide, si bien qu'elle l'habitait quasiment seule. La présence d'Hadrien, en

cela, la remplit de joie. Non qu'elle redoutât la solitude ; elle en avait besoin et Hadrien aussi. S'ils désiraient habiter ensemble, ce n'était pas pour recréer des
chaînes mais bien pour jouir d'une entière liberté,
dans leurs rapports comme dans leur vie. Agathe leur
avait juste donné les moyens matériels de cette indépendance qu'ils auraient à conquérir à deux. Ils n'en
avaient pas la même notion. Contrairement à Hadrien,
Agathe n'avait pas à se libérer d'une famille mal
aimée ni à s'évader d'un quelconque milieu social.
Elle se sentait insatisfaite, savait qu'elle n'était pas
arrivée au bout d'elle-même, que le chemin serait
long pour atteindre à l'épanouissement dont elle
rêvait. Mais elle avait déjà conquis l'énergie pour s'y
engager et aucun obstacle ne l'avait arrêtée.

Le jour de son arrivée, Hadrien fit le deuil de son
ancienne existence. Un deuil qu'il avait commencé à
vrai dire depuis longtemps déjà. Il se métamorphosa
littéralement. C'est ce que, plus tard, il appela
« renaissance » ; Agathe préférait parler de « naissance » tout court.

Dès qu'ils habitèrent ensemble, Agathe et Hadrien
se considérèrent comme des jumeaux. Elle passait des
heures dans sa chambre à bavarder, construire des
projets, à rêver et écouter de la musique. Elle l'encourageait à composer, il était très doué pour le piano.
Elle l'aidait à faire ses devoirs, lui faisait réciter ses
leçons. Leurs soirées se prolongeaient une bonne partie de la nuit. Le matin, la cuisine les accueillait fatigués et bâillant devant un bol de chocolat.

Lorsque la famille d'Agathe était réunie, un sentiment d'amour profond unissait ces trois êtres malgré
ou grâce aux non-dits et aux secrets. Dans cette atmosphère Hadrien se sentait revivre. Il fut véritablement

adopté et quand, plusieurs années plus tard, il décida de s'installer dans un studio, il continua de venir dîner chez ses parents d'adoption, deux fois par semaine.

Il tenta, un jour, de revoir sa mère. Elle ne lui avait pas pardonné et il n'insista pas. Il se sentait en paix et ne désirait pas renouer avec ce passé encore trop proche.

À dix-sept ans, il décida de gagner sa vie pour rembourser ses dettes auprès des parents d'Agathe. Il tenait, à tout le moins, à payer un loyer. Mais, devant la colère disproportionnée du père de son amie à l'énoncé de cette suggestion, il y renonça. Cependant, il fit des petits boulots par-ci par-là pour pouvoir inviter Agathe. Ils prirent l'habitude de dîner tous les deux dans de grands restaurants. Toutes ses économies y passaient, mais ils estimaient qu'elles ne pouvaient être mieux utilisées. Ils n'étaient ni l'un ni l'autre attachés à l'argent ; Agathe en avait de sa famille, Hadrien en était le plus souvent dépourvu. Ils le dépensaient avec la même prodigalité.

À dix-huit ans, Hadrien avait fini par louer un studio dans le dix-septième arrondissement, près de la porte de Clichy. Cet automne-là, Agathe, elle, avait commencé ses études de philosophie, en hypokhâgne, à Henri-IV et il s'était inscrit à Nanterre. Les deux dernières années, il avait supporté le défilé de ses petits amis en se faisant le plus discret possible. Il était temps qu'il lui foute la paix, mais elle répondait qu'il était son alibi pour les faire partir quand elle était fatiguée d'eux. Et elle aimait tellement venir lui raconter ses aventures, au cœur de la nuit, alors qu'il ne dormait pas encore complètement. Il avait décidé néanmoins de s'éloigner et elle ne l'avait pas retenu. Elle aussi désirait quitter l'appartement de son enfance trop chargé de souvenirs. Elle s'installa rue Saint-Jacques dans un deux-pièces au cinquième étage, ce qui ne les empêcha pas de se voir presque tous les jours, ou tout au moins de s'appeler pendant des heures, quotidiennement.

Six ans avaient passé, et ils s'aimaient toujours autant, même si leurs chemins s'étaient plus ou moins écartés.

Agathe proposa à Hadrien de l'emmener dîner le lendemain, dans l'une de leurs cantines habituelles. Puis ils iraient danser et boire quelques cocktails. Elle avait envie de faire la fête avec lui. Ils termineraient la nuit dans les rues de Paris, apaisant par une marche solitaire leurs têtes assourdies de musique, de rires et de paroles, leurs corps lourds de danse et d'excès. Ils iraient à Montmartre peut-être, à l'heure où seuls les clochards hantent encore le faubourg... Ils finiraient sur les quais... Dans l'île Saint-Louis... Enfin, ils verraient...

Hadrien la regarda et se sentit envahi d'une bouffée de bonheur, à ne plus savoir qu'en faire. Elle était revenue. La vie, enfin, pouvait recommencer.

4.

Lorsque Agathe rentra chez elle, l'appartement était vide ; elle ôta son manteau, le jeta sur le lit, et se versa un verre de vin. Elle ne savait pas à quelle heure Victor la rejoindrait. Que pouvait-il bien faire toute la journée ? Il se promenait ? Il devait lire aussi, boire un peu. Il était huit heures du soir ; les journées se faisaient plus courtes ; la pièce était sombre. Aimait-elle ou n'aimait-elle pas être seule, après une journée si chargée ? Une solitude authentique se vit pleinement et non par défaut. Aussi, quand Agathe échouait chez elle, lasse et sans envie, le vide de son appartement ne la reposait pas. C'est pourtant ce même lieu qui accueillait ses plus belles heures de travail et de réflexion. Agathe était une vraie solitaire, pas de celles qui abandonnent à la solitude les heures les plus anodines de leur vie. Non, elle lui consacrait les plus beaux moments et ne laissait jamais l'ennui gâcher ces instants privilégiés. Pourtant, ce soir, elle était trop fatiguée pour sortir. Impatiente que Victor arrive, elle décida de prendre un bain en l'attendant. Un bain, son verre de vin à côté, un bon bouquin, de la salsa en musique de fond, la soirée lui apparut aussitôt sous de

meilleurs auspices. Après avoir allumé, elle se sentit
revigorée. Il lui fallait un peu de temps pour réintégrer
ses lieux ; deux mois l'en séparaient. En rêvassant,
elle se déshabilla devant la glace. Avait-elle grossi ?
Maigri ? Sa peau était brune ; elle devait se mettre de
la crème pour ne pas peler. C'étaient là des velléités
qui s'évanouiraient au bout d'une semaine parisienne.
Jamais elle n'aurait la discipline de badigeonner
consciencieusement chaque parcelle de sa peau. En
vacances, elle prenait soin de son corps. Arrivée à
Paris, elle l'oubliait pour mener une vie plus excen-
trique, plus délurée, plus jouissive aussi. Elle observa
ses mains aux doigts fins. Ses ongles ronds auraient
mérité eux aussi d'être soignés. Ses seins étaient
fermes, sa taille fine, ce qui faisait ressortir les
hanches, à son grand déplaisir ; elle était indéniablement féminine, elle qui tout enfant, déjà, rêvait d'être
un garçon. Autrefois sa mère la coiffait au bol ; elle
aimait bien. Maintenant, elle avait les cheveux longs
et les seins lourds ; de petites fesses musclées, des
jambes sveltes. Agathe s'était toujours sentie laide,
tout au moins banale ; elle n'avait pas été une belle
enfant ; les premiers regards extérieurs à sa famille lui
avaient renvoyé l'image d'une fillette un peu gauche
et sans grâce ; depuis, elle gardait au fond d'elle le
reflet de ce premier miroir ; pourtant elle avait fini
par évoluer intérieurement ; il était visible que les
hommes la désiraient ; lorsqu'un garçon avait envie
d'elle, pourvue de ce sens particulier de ce magné-
tisme qui sait déceler le désir, elle le savait immédiatement. Mais elle ne se débarrassa jamais d'un
doute secret qui menaçait chacun de ses coups d'œil
au miroir. Elle cherchait les défauts cachés de son
corps : ses bras étaient trop minces, son ventre pouvait s'arrondir ; elle était trop petite.

Elle observa son visage en entrant dans la baignoire ; une glace ancienne tapissait le mur de la salle de bains ; elle pouvait s'y contempler à loisir, tandis que la chaleur de l'eau rougissait sa figure où perlaient quelques gouttes. Elle se voyait à travers la buée qui ourlait la glace ; les yeux jaunes, la bouche entrouverte sur de petites dents blanches ; les joues creusées, elle avait le visage un peu maigre, il était temps qu'elle se l'avoue. Quant aux cernes bleutés que Victor trouvait si émouvants, elle les combattait en vain depuis longtemps. Changer d'idéal esthétique aurait été plus intelligent. Pourtant, elle rêvait toujours d'arborer un visage éclatant de santé. Elle s'accorda son quart d'heure quotidien de divagation et de futilité narcissique, mollissant chaque seconde un peu plus sous la chaleur humide.

Des pas se firent entendre ; Victor ? une clef ; c'était bien lui. Il l'appela ; elle était soulagée qu'il soit rentré !

– D'où sors-tu ? Où étais-tu encore passé ?

Victor entra dans la salle de bains et l'embrassa.

– J'ai juste rencontré une fille fantastique.

– Trouve autre chose. Dis-moi que tu as écrit un livre révolutionnaire sur la pureté de l'âme, que tu as sauvé un enfant de la noyade ou que t'as eu ta première expérience homo.

– Je vais te décevoir.

– Tu prépares un bon dîner, et je te pardonne.

– Chantage ?

– Non, gourmandise !

Agathe était heureuse ; un film qu'elle n'avait pas vu passait à la télé ce soir. Le genre de soirée idéale pour se reposer dans le confort absolu ; repas télé, quelques caresses, pas trop de discussion ; elle avait envie de silence, de présence, de bonne bouffe, de bon vin, d'un bon film ; et la seule personne avec laquelle elle pouvait jouir de ce genre d'emploi du temps était indéniablement Victor. Elle ferma les yeux. Décidément, sa vie lui plaisait.

Pourtant, son bien-être n'atténuait pas la violence de ses désirs et de ses inquiétudes ; c'est pour cela qu'elle n'assimilait pas le bonheur de son couple au confort bourgeois. Sa vie l'avait extraite de toute classe, de tout milieu. Son père lui avait appris la tolérance et la loyauté. Sa mère la beauté. Ensemble ils lui avaient appris la liberté. Agathe n'avait pas de schéma à reproduire ; ses parents étaient des amants de longue date, non mariés, menant chacun leur vie de leur côté, tout en s'aimant plus que tout. Ils lui avaient appris que l'amour était le seul lien qui vaille par-delà les regards et les jugements, par-delà les convenances et les tabous. Ce n'est qu'à l'âge de huit ans qu'elle cessa d'interroger sa mère sur l'accent chantant que ses camarades de classe ne partageaient pas. Le sujet relevait de l'interdit. Aussi ne la questionnait-elle pas sur ses amis de passage à la peau burinée, dont elle ne comprenait pas la langue. Sa mère était réfugiée politique depuis 1973. Elle ne savait pas exactement ce que cela signifiait mais préférait son visage serein à celui bouleversé que provoquaient ces visites imprévues, qu'elle devinait liées à un passé politique. Le silence et l'amour avaient raison de tout. Quand on part de l'absolu, on ne peut connaître que le relatif. Agathe avait suivi ce chemin, acceptant comme une étape préliminaire ce compromis ou cette régression nécessaire, elle était à nouveau sur la voie de cet absolu. Elle avait dû se débarrasser d'un modèle parfait de liberté, pour reconquérir la sienne ; l'effort était

double, car il n'avait pas été sous-tendu par un mouvement de révolte ; elle en était venue à bout, tout en
sachant qu'on ne vient jamais à bout de soi-même.

Agathe sortit de son bain, enfila un peignoir.

Victor était parti lui acheter de quoi dîner. Elle
fouilla dans son armoire, et retrouva avec une certaine
émotion les habits qu'elle avait laissés, avant les
vacances. Elle accordait aux choses une importance
presque fétichiste, dont elle avait un peu honte. Elle
savait que ce type d'aliénation matérielle est absurde.
Pourtant, elle ne pouvait s'empêcher d'aimer ses
objets, les tasses qu'elle avait choisies soigneusement, les verres, la carafe, et ses affaires, le pull et les
chaussettes, le pantalon, fragments de souvenirs et
d'époques disparates ; cette couleur était le Sud, cette
jupe, sa première journée d'école, ce gilet, l'été. Ces
chiffons, liés à une vie, étaient rangés là, en désordre,
au fond de son armoire ; elle les déplia un à un, les
contemplant quelques instants, en essaya quelques-
uns. Mais le temps pressait. Son jean lui allait encore,
ce débardeur était un peu serré ; l'attachement à ses
habits d'enfant la poussait à se vêtir parfois comme
une Lolita ; même l'odeur du propre y était. Finalement, elle opta pour un chemisier et un pantalon en
cuir noir, releva ses cheveux, négligemment ; un peu
de parfum, des bottines en daim noir. Elle était prête.
Elle mit la table, des bougies, un peu de romantisme,
de kitsch de-ci de-là, un autre verre de vin. Elle était
parfaitement heureuse. Ses fesses moulées sous le
cuir laissaient apparaître les marques d'une large
culotte blanche, reste d'enfance. Évidemment, elle
n'avait pas pensé aux dessous. Elle ne pouvait s'y
résoudre ; les porte-jarretelles, c'était trop con et les
frous-frous superflus. Ni maquillage, ni apprêt ; son

corps exhalait un parfum inodore, une odeur insaisissable, celle d'un bébé, mais d'un bébé qui aurait été femme dans une vie antérieure.

Quand Victor remonta, la table était mise, les bougies brûlaient, Agathe sortit de la cuisine, son verre à la main. La pièce était faiblement éclairée. Saisi, il laissa tomber les sacs à ses pieds. Qu'elle était belle ! Elle lui échappait déjà, reflet de la sensualité que jamais on ne possède, du désir sans cesse renaissant.

Agathe et Victor s'aimèrent cette nuit, d'un amour parisien ; leurs corps se modifiaient lorsqu'ils étaient habités du rythme de la ville, et celui-ci en avait déjà repris possession ; ils en suivaient la cadence, à l'écoute de la fréquence plus intense de leurs battements de cœur ; tout se rétablissait machinalement, comme s'ils n'avaient pas fui la capitale pendant deux mois ; leurs gestes réintégraient leurs habitudes ; leurs membres retrouvaient leurs réflexes, comme issus des odeurs de la chambre, émergeant de la porte ouverte de la salle de bains, eaux de toilette mêlées, savons, confondus à la sueur naissant par vague de leurs peaux nues ; de la cuisine venait un arôme de café ; de la rue enfin montaient les exhalaisons des restaurants. C'était le parfum de Paris, celui qui hantait leurs nuits et conditionnait leurs corps sans qu'ils s'en aperçoivent : luminosité pâle et bleutée de la nuit parisienne, souffle de la rue, respiration urbaine, murmures rugueux, cris étouffés, crissements de pneus, rires lointains et plaintes assourdies. La douceur de la moquette rappela à leurs dos qu'ils devaient bouger avec délicatesse pour ne pas se brûler. Leur plaisir contenait un univers. Dans le Sud, c'était une sorte d'amour différente, plus romantique peut-être, d'une

sensualité autre : celle du silence et de la douce chaleur; l'odeur de la transpiration en était modifiée;
mais il s'y mêlait des effluves de lavande et de roma-
rin qui pénétraient de langueurs les corps lascifs. À
Paris, l'amour était plus violent, moins littéraire;
l'amour était brutal; la folie de la ville est conta-
gieuse; ils la vivaient de toutes leurs fibres.

Vers quatre heures du matin, Agathe était étendue à
travers le lit défait; allongée sur le dos, Victor pouvait
contempler son corps nu faiblement éclairé par la
lumière blafarde des lampadaires. Un bras recouvrait
son visage, noyé sous ses cheveux; une jambe était
repliée, l'autre étendue de toute sa longueur; la cam-
brure de son dos dessinait une ombre sous les reins; il
la désirait encore, malgré la fatigue et les jouissances
éprouvées. Elle était belle, nocturne, dans cette
pénombre. Il la recouvrit du drap pour ne pas qu'elle
attrape froid, alla même chercher une couverture. Il se
leva. Agathe entrouvrit les yeux pour le regarder marcher dans la pièce; elle ne se lassait jamais de contempler le corps d'un homme. Ces muscles nerveux et ces
fesses rebondies, son torse large, ses épaules arrondies; *L'Esclave mourant* de Michel-Ange; elle pouvait s'arrêter des heures devant cette sculpture; avait
souvent tenté de la dessiner, sans jamais réussir à en
saisir la force, la violence, la bestialité. Rien de plus
séduisant que le paradoxe d'un jeune homme cultivé
et sensible, qui se métamorphose en bête féroce. Rien
de plus émouvant que ces muscles épais et tendus qui
vous serrent à vous étouffer, qui vibrent sous le plaisir, qui frissonnent sous la caresse.
C'était l'heure de la nuit la plus inquiétante; un
vague brouhaha montait de la rue, une faible lumière

s'infiltrait, mystère des nuits où s'éveillent les hommes chauves-souris ; des peuples entiers hantaient la nuit ; elle en faisait partie ; elle devint chauve-souris à son tour, observa le monde d'un autre œil, plus pénétrant et plus lointain à la fois ; c'était un regard extralucide. Agathe était en train de s'endormir, tandis que Victor se tenait sur le balcon, fumant une dernière cigarette, observant les scènes de la rue assoupie ; y traînaient quelques hommes éméchés, des couples rentraient d'un bar quelconque, des voitures somnambules circulaient encore. Tout était fermé.

5.

Le lendemain, Victor se réveilla le premier, vers dix heures. Il alla préparer le café, alluma la radio, et s'interdit de fumer sa première cigarette. Il enfila un pantalon et un T-shirt pour courir en face, acheter la presse. Lorsqu'il remonta, Agathe somnolait encore ; il tenta de l'arracher au sommeil, mais elle poussa des grognements de mauvaise humeur. Finalement l'odeur du café finit par la convaincre de se redresser dans son lit. Elle était nue et tenait le drap au-dessus de ses reins. Ils prirent leur petit déjeuner au lit, lui lisant *Libé* et *Le Monde* de la veille, râlant contre tel journaliste minable, commentant favorablement d'autres papiers. Agathe acheva de se réveiller ; elle n'aimait pas parler le matin ; il lui fallait une petite heure de réadaptation au jour. Elle se leva, s'étira, et se hissa dans la baignoire pour y prendre sa douche. Elle attendait que l'eau glacée se réchauffe et que sa peau se réhabitue au contact mêlé de l'air et des gouttes anarchiques qui s'échappaient du jet. Elle gardait un pied dans son dernier rêve.

Agathe devait aller à la fac voir son directeur de thèse. Elle se remettrait ensuite progressivement au

travail. « Progressivement » signifiait pour elle se
lever quand bon lui semblait, sortir chaque soir où elle
en éprouverait le désir et lire l'après-midi dans ses
cafés de prédilection. Depuis qu'elle avait quinze ans,
elle préférait travailler dans ces endroits anonymes,
vite devenus des lieux d'habitudes, plutôt que chez
elle ou dans les bibliothèques. Certes, elle avait dû
s'accoutumer à ces dernières, car les livres qui lui
étaient indispensables étaient aussi inaccessibles à ses
finances, ou confinés dans des rayons obscurs. Cependant, lorsqu'il faisait beau, c'est à la terrasse d'un café
qu'elle emportait ses bouquins et buvait des chocolats
chauds ; il était difficile d'éviter les rencontres ; c'était
l'inconvénient de ces lieux publics à proximité de la
Sorbonne. Consciente de ce danger, elle savait expé-
dier les importuns en se plongeant, avec force signes
de concentration et d'indifférence à l'égard du monde
extérieur, dans des textes philosophiques d'où personne n'osait la tirer. Ainsi armée, elle pouvait
occuper la rue et les terrasses des journées entières.

Elle s'habilla dans l'esprit « professeur d'université » ; pas trop voyant, mais pas trop sévère non plus.
Son directeur n'était pas le beau philosophe rêvé des
images archétypales, mais un homme d'un certain
âge, séduisant par son intelligence et sa culture, dont
on pouvait se demander s'il était déjà sorti hors des
murs de cette faculté certes belle architecturalement
mais indéniablement sévère, et qui abritait les
membres de cette ethnie grisâtre prisonnière des
sombres hiérarchies qu'un étudiant novice apprend à
connaître à ses frais lorsqu'il s'aventure ou s'égare
dans la recherche et l'enseignement. Pourtant, Agathe
y trouvait son compte. L'homme lui plaisait sous ses
apparences taciturnes. Il était rigoureux intellectuelle-

ment, ouvert et réfractaire au cloisonnement qu'imposaient le temps, l'institution et le conservatisme.
Derrière ce visage sans âge, c'était un homme marié,
père de famille, obstiné sous sa discrétion, passionné
sous l'inexpressivité de ses yeux, trop habitués aux
lampes vétustes des amphithéâtres, pas assez à la
lumière du jour. Agathe justifiait tout : le gris de ses
costumes, l'immuable chemise au col trop long,
l'ombre oubliée des années cinquante, rôdant sur ses
chaussures ; sa pétrification progressive en ces lieux ;
il voyageait par la pensée au-delà de la surdité naissante qui l'isolait plus encore, dans cet univers de
pierres et de livres, dans des sphères inexplorées. Elle
pouvait comprendre ce choix, et l'admirait pour
l'abnégation et le désintérêt qu'il témoignait au reste
du monde. Il appréciait Agathe, bien qu'elle se
demandât s'il l'avait jamais regardée, et cette absence
de curiosité pour les détails de la vie lui plaisait : pour
lui, la pensée se substituait jusqu'à la matière. Elle
acceptait son mode de communication, s'y était docile-
ment soumise. Agathe aimait bien ce curieux bon-
homme. Le revoir après deux mois d'absence lui
faisait grand plaisir ; elle n'avait pas beaucoup
avancé, mais elle pourrait quand même lui fournir
quelques matériaux. Elle était impatiente de son jugement ; il était en général assez juste, et l'aidait à poursuivre ses recherches dans une solitude quasi absolue.
Agathe était audacieuse dans sa lecture d'auteurs
défendus par le rempart d'une exégèse reconnue, de
commentaires et des interprétations adoptées à la Sorbonne. Quant à sa lecture des « textes sacrés », elle ne
pouvait se résoudre à la laisser prisonnière d'un car-
can universitaire trop souvent obscur et sclérosé. Derrière ses apparences de professeur gris, son directeur

de thèse était un hérétique en matière de philosophie ;
il parvenait à se faire entendre, à force de publica-
tions, mais la voie ouverte au renouveau du com-
mentaire et de la pensée n'était pas du goût de tout le
monde. Il encourageait son élève à suivre ses intui-
tions, lui apprenait le courage universitaire contre
l'obscurantisme tout aussi universitaire. Elle comprit
au bout de plus d'un an de travail en commun qu'il
s'agissait d'un homme extraordinaire, quoiqu'un peu
trop obsédé par son métier, ses recherches et ses
auteurs favoris ; un des rares professeurs non dog-
matique, échoué dans ce temple de la fixité des idées ;
il était curieux, remettait en cause, doutait, critiquait,
affirmait rarement, mais, lorsqu'il affirmait, la contradiction devenait difficile, ou le dialogue cessait. Il
avait véritablement permis à Agathe de mener les
recherches qu'elle souhaitait, quelque extravagantes
qu'elles auraient pu paraître aux censeurs orthodoxes.
Elle se foutait pas mal de ces hiérarchies, et prenait la
défense de son cher maître, à chaque bataille philo-
sophique. Ils formaient une équipe conquérante et
pour cela Agathe ne rechignait jamais à la tâche : elle
aimait travailler.

Victor, ce jour-là, devait retrouver un couple
d'amis au Rostand. Paul et Julie étaient déjà là,
s'exposant au soleil, comme deux tournesols. Julie
portait des lunettes de soleil sur un petit visage rose
piqué de taches de rousseur, le nez légèrement relevé,
les lèvres fines et joliment dessinées ; elle ressemblait
à une poupée slave ; les cheveux bruns et les yeux
verts, la voix chantante, elle était ravissante dans sa
robe à fleurs. Agathe n'aimait pas beaucoup Julie. La
vivacité de son intelligence était indéniable mais ne la

séduisait pas. Des filles intelligentes, elle en connaissait. La bonté était une qualité plus rare qui n'était pas
flagrante à observer dans les comportements de
l'amie de Victor. En revanche, celle-ci avait le talent
de faire rire, mais l'humour dont elle faisait preuve
s'arrêtait net lorsqu'elle en devenait la cible. Pour une
jeune femme aussi subtile, ce manque de distance
était paradoxal. Ce qui n'empêchait pas Victor de passer avec elle de longues soirées à se soûler de paroles
et de rires. Ils en avaient des courbatures le lendemain, des crampes sur le moment. C'était une des raisons pour lesquelles il continuait de beaucoup
l'aimer, s'étant parfois demandé pourquoi il n'avait
pas cédé à la possibilité évidente de passer une nuit
avec elle. Mais il n'arrivait pas à la voir autrement que
comme une amie ; il ne la désirait pas.

Après quelques réticences, Agathe avait accepté de
la voir plus souvent, et l'avait invitée à de multiples
soirées. C'est ainsi que Julie avait rencontré Paul, un
des anciens camarades de classe d'Agathe, avec
lequel elle était souvent partie en vacances et dont elle
avait été un peu amoureuse, au début. Paul était très
beau, très blond ; en règle générale, il était « très ».
Les cheveux longs, coupés au carré, un peu bouclés,
les muscles nerveux et le regard noir, il séduisait à
tout bout de champ, mais serait bien resté plus longtemps dans l'intimité rapprochée d'Agathe ; elle en
avait décidé autrement.

Julie ne plut pas tout de suite à Paul ; elle était trop
intellectuelle, trop vive, trop drôle aussi ; mais
lorsqu'il se rendit compte qu'elle dissimulait, à grand
renfort de discours, une fragilité et un besoin d'autrui,
il commença à s'intéresser à elle. Paul avait besoin
qu'on ait besoin de lui ; ce type de rapport inégal satis-

faisait son instinct de domination. De son côté, elle n'avait pas attendu qu'il prenne la peine de s'attendrir, le masque de sa force l'avait immédiatement séduite.

Face à Victor, Julie et Paul étaient collés l'un contre l'autre, de manière presque indécente. Ils racontaient le Mexique où ils étaient partis, sac au dos, le guide du Routard à la main. Ils avaient échoué à Mexico où ils étaient restés quelques jours, dans une brume inquiétante.

« Une ville fantastique, qui contient dix villes différentes. On nous avait dit que c'était dangereux. Jamais on ne s'est fait agresser ; au contraire, dans le métro, j'ai enfin connu la galanterie, il était bondé, et un type m'a cédé sa place. Belle leçon à des milliers de kilomètres de notre capitale. À défaut d'être galant, Paul parle un peu l'espagnol ; il était mon traducteur, mon banquier et mon ange gardien. Il faut absolument que tu y ailles avec Agathe, c'est génial ! »

Victor n'arrivait pas à savoir si l'enthousiasme de Julie était réel ou forcé. Pendant qu'elle continuait de raconter, régulièrement interrompue par Paul, il pensait qu'il n'avait aucune envie de partir avec Agathe dans les lieux explorés par d'autres pour leur lune de miel ; d'autant qu'elle aurait préféré découvrir des terres plus lointaines, celles de ses origines oubliées. Elle n'était pas encore mûre. C'était dommage d'ailleurs ; le Mexique séduisait son imagination. Le Chili plus encore.

Tandis qu'ils conversaient sur ce ton, Agathe remontait le boulevard Saint-Michel pour les retrouver. Son entrevue avec son professeur s'était très bien passée ; elle était d'excellente humeur. Elle avait déjà

vu Paul l'avant-veille, autour d'un café. Ils étaient
toujours heureux de se voir ; leurs rapports étaient particulièrement simples. L'épanouissement apparent de
Paul lui faisait sincèrement plaisir ; pourtant, de même
que Victor, elle ne croyait pas à la longévité de l'histoire d'amour de ces deux-là. En tournant dans la rue
Médicis, elle les aperçut, assis à la deuxième table,
devant le Luxembourg. Elle éprouva une certaine
émotion à observer ce tableau qui résumait sa vie ; le
Quartier latin, ses amis, les longues discussions, leurs
promenades au Luxembourg, leurs projets communs,
les invitations aux soirées multiples, déguisées,
techno, ou simples dîners, Victor écrivant son second
livre (il n'avait pas terminé le premier), elle corrigeant
ses manuscrits ; les rencontres de personnes souvent
insolites, écrivains, acteurs, dessinateurs, purs para-
sites dilapidant leur héritage aux terrasses des cafés, à
téléphoner à droite et à gauche, lire le journal, rencontrer des femmes ou des hommes, et en changer fréquemment ; Agathe aimait cet univers d'artistes et
d'intellectuels dans lequel elle évoluait depuis le
lycée, mais qu'elle connaissait mieux depuis qu'elle
avait intégré l'École normale supérieure ; son nouveau statut lui laissait du temps libre et suffisamment
d'argent, pour faire exactement ce qui lui plaisait ; et
ce qui lui plaisait, c'était vivre toutes les possibilités
qu'offrait cet univers, le connaître dans les moindres
détails, en maîtriser les lois ; elle avait ainsi rencontré
un grand nombre de personnes remarquables, avec
lesquelles elle avait travaillé à des documentaires, des
rédactions d'articles littéraires ou philosophiques, des
courts métrages. Elle aimait s'initier à toutes les
formes d'art. Victor aussi avait exploré différents
domaines. Il était également normalien, mais avait

intégré l'École en histoire, une année avant Agathe ;
c'était là qu'ils s'étaient rencontrés ; pourtant ils ne
s'y voyaient jamais, ayant rapidement fui l'ambiance
étouffante des salles de cours et de l'internat. Leur vie
se déroulait donc dans le cinquième et le sixième
arrondissement, même si Victor habitait sous les
combles d'un immeuble vétuste, rue Keller, dans le
onzième. L'immeuble était surtout habité par des
familles maliennes ; et l'escalier sentait le *n'dollé* à
toute heure de la journée. Victor avait fait la rencontre
de ses voisins du dessous, dont le fils de huit ans avait
besoin de soutien scolaire. Il en profitait pour donner
des cours d'alphabétisation à la mère, et pour dîner
avec eux une fois par semaine ; elle lui préparait du
crabe farci, sur sa demande expresse, et du poulet
confit aux oignons, plus couramment appelé « yassa »
Il adorait sa rue ; habitait juste en face de l'école,
devant laquelle les enfants jouaient jusqu'au soir,
avant que les mères ne les rappellent à l'ordre, de la
fenêtre, en une langue qu'il ne parvenait pas encore à
comprendre. Agathe s'y rendait relativement souvent,
et remplaçait Victor, lorsqu'il ne le pouvait pas,
auprès de Kamara et de sa mère.

Pourtant, c'est dans le cinquième qu'elle passait le
plus clair de son temps, entre la Sorbonne, les bibliothèques, le Rostand, le Petit Suisse et chez elle.
Comme ils sortaient de plus en plus souvent dans le
quartier de Victor et à Ménilmontant, où les bars se
multipliaient, la journée était réservée au Quartier
latin, la nuit à la rive droite.

Paul le premier aperçut Agathe au coin de la rue.
Son visage s'illumina ; elle lui faisait toujours la
même impression. Il se reprit, connaissant la jalousie
de Julie. Agathe les rejoignit en souriant. Victor

éprouvait un bonheur ineffable quand elle était là ; sa présence le rassurait, le calmait, l'emplissait d'un sentiment de bien-être plus onirique que ses propres rêveries.

Agathe embrassa Julie et s'assit à côté de Paul ; elle lui ébouriffa les cheveux en guise de salut. « Vous ne vous quittez donc plus jamais ? C'est toujours la passion ? » Paul s'amusait de ce genre de remarques ; Julie ne les supportait pas. Elle se tourna donc vers Victor pour lui demander s'il viendrait à la soirée du lendemain.

— Il y a une soirée ? Je n'étais pas au courant. Chez qui ?

— Alexandre, bien sûr, notre nabab !

Victor fut ennuyé d'apprendre qu'il ne pourrait pas échapper à cette fête. Il savait exactement quel type de soirée ça allait être ; un monde fou, les ecstas et les amphétamines, les joints qui circuleraient dans les groupes assis, les danses jusqu'à la fin de la nuit, l'excitation artificielle de certains, la défonce des autres. Alexandre avait l'habitude de faire les choses en grand ; un buffet interminable, des alcools de toutes sortes, de l'herbe à volonté... Il était persuadé, en outre, qu'Agathe était ravie de renouer avec ses vieilles habitudes et cela le mettait de mauvaise humeur ; pourquoi, il l'ignorait. Était-ce parce que Agathe prenait un malin plaisir à faire enrager Julie ? En général, Victor restait extérieur à leurs affrontements tacites, mais, énervé par l'annonce de la soirée, il en voulut à Agathe de tyranniser son amie. Elle croisa son regard et s'aperçut qu'il était mécontent.

Paul savait également que les deux jeunes femmes ne s'entendaient pas ; l'incompatibilité d'humeur était suffisamment flagrante pour qu'il évite le plus pos-

sible de les réunir. Julie se sentait toujours mal à l'aise
lorsqu'ils étaient tous les quatre, comme si on lui
volait un peu de sa présence, cependant ils avaient
décidé de passer un bon moment.

Ils commandèrent des salades et des croque-
monsieur. Agathe avait souvent un appétit étonnant.
Pourtant elle restait svelte, presque trop. Elle
accompagna son repas d'un verre de sauvignon
qu'elle dégusta, les yeux fermés, le visage captant
chacun des rayons du soleil, filtrés par les feuilles des
platanes.

Elle désirait ensuite passer chez elle pour se changer. Ses vêtements « universitaires » lui pesaient ; elle
rêvait d'une robe légère pour affronter la chaleur de
l'après-midi. Il faisait très lourd pour un mois d'octo-
bre. Cet été indien lui permettait de rattraper le mois de
septembre parisien, les apéritifs en terrasse, et les
longues promenades dans Paris, en T-shirt. Agathe
aimait ce flou enivrant du temps d'automne ; son verre
de blanc à la main, écoutant les voix de ses amis
chanter en désaccord, puis s'harmoniser doucement,
les conversations des tables d'à côté, les moteurs des
voitures et les cris des enfants, dans le Luxembourg ;
elle rouvrit les yeux. Ce monde lui appartenait ; elle s'y
sentait heureuse, illimitée. Victor à ses côtés, l'avenir
devant elle, riche de possibles, et l'emplissant d'un
enthousiasme silencieux ; cette soirée chez Alexandre,
parmi tant d'autres réjouissances qui l'attendaient, les
films qu'elle n'avait pas eu le temps d'aller voir, sa
thèse, ses soirs de solitude, ses lectures, et ses scéna-
rios, les nombreuses rencontres qu'elle allait faire cette
année. Les gens surtout la passionnaient ; ils étaient les
plus aptes à lui ouvrir de nouvelles voies, des amitiés
neuves, des amours peut-être.

De vieilles connaissances passaient et s'arrêtaient cinq minutes à leur table, lançant des invitations, donnant des nouvelles à tort et à travers : untel avait achevé son court métrage ; tel autre était engagé sur un tournage. Sophie montait une pièce de théâtre ; elle avait trouvé des subventions, s'était engueulée avec l'actrice principale, mais avait fini par en trouver une autre ; elle pouvait donc s'y mettre sérieusement. Philippe organisait une expo de photos et Bénédicte attendait un enfant ; les nouvelles leur parvenaient ainsi, d'une table à l'autre : il suffisait qu'ils s'installent une heure au Rostand, pour être informés sur leur Tout-Paris. Toutes ces personnes hantaient les mêmes lieux, les mêmes soirées ; c'était une sorte de réseau de nuit, mais cimenté par un attrait commun pour les entreprises artistiques et scientifiques. Certains étaient de vieux amis, d'autres s'étaient rencontrés au hasard d'un travail, lors d'une soirée, d'une exposition, d'une première ; et cette petite société, grossissait d'année en année ; il y avait des centres de rayonnement ; Agathe et Victor étaient l'un d'eux, noyau autour duquel gravitaient une vingtaine de personnes, peut-être plus. Leur réputation s'était étendue à travers les nuits parisiennes en marge d'une société établie. En inventant de nouvelles règles, qui ouvrent les possibles et ferment les compromis, qui imposent une discipline à l'infidélité et une frontière aux divertissements, ils avaient fini par établir une amoralité par la destitution des contraires, bien, mal, vrai, faux. Ce n'était pas une révolution, 68 était derrière eux. Et ils ne voilaient pas leur identité de bourgeois intellectuels et individualistes : ils avaient seulement mis en commun ces individualismes pour mieux annihiler leur particularité et leur étroitesse, et les amener à combattre les derniers stigmates des éducations qu'ils traînaient dans la souffrance et le souvenir. Ils préconisaient ainsi la création des relations humaines les plus violentes, les plus incongrues, celles qui permettent de vivre plusieurs vies, de reculer les limites en retrouvant l'humain par-delà ses masques et ses scléroses. Lorsque Agathe, la première, eut l'intuition de l'exaltation qu'offrait cette découverte, elle voulut convaincre ceux qui lui paraissaient le plus capables d'aller au-delà d'eux-mêmes. Il y eut des échecs, des résistances ultimes au vertige de la liberté. Victor et elle connurent des personnes limitées, et qui dans leurs limites faisaient preuve d'une intelligence hors du commun, comprenant intellectuellement leurs obstacles, leurs hantises, mais qui n'y pouvaient rien faire, parce qu'ils y étaient au fond très attachés. Il ne s'agissait pas de commettre un crime pour prouver leur liberté. Depuis la mort de Dieu, l'échec de l'acte gratuit laissait la place aux autres tentatives.

Parce que Agathe avait reculé les limites de son être, elle voulait apporter la bonne nouvelle. Et elle devint prosélyte. Sa voix portait, elle convertit plus d'une personne. Au fond, elle était elle-même aliénée à ce désir de « sauver » les autres, résurgence de drames personnels. Et de cette fusion de personnalités surgit un nouveau sens de la communauté.

Ces jeunes personnes, car elles étaient jeunes pour la plupart, avaient formé un monde à part entière, dont les lois n'étaient pas tout à fait celles que leur avaient enseignées leurs parents. Dans ces milieux, les mœurs étaient extravagantes, le plaisir comme l'angoisse étaient souvent les maîtres mots ; c'était pour la plupart des êtres désorientés, étranges, délirants qui ne cultivaient pas le pessimisme ambiant, pour la simple raison qu'ils vivaient hors du temps ; êtres nocturnes, désabusés pour certains, enthousiastes et féconds pour d'autres, créateurs pour la plupart. Les milieux sociaux d'où ils étaient issus étaient confondus, indistincts ; beaucoup d'enfants de familles bourgeoises, mais aussi beaucoup de fils d'immigrés de deuxième génération, désargentés, mais ambitieux, des provinciaux de petite bourgeoisie, des enfants du sixième et du cinquième cultivés, héritiers d'une élite intellectuelle narcissique évoluant dans les frontières arbitraires qu'une histoire parisienne avait délimitées, engendrant les dérives du snobisme et de la complaisance. Agathe en était, mais ne portait pas ces origines comme un flambeau. Échapper à l'étroitesse de ce petit milieu faisait partie de ses ambitions.

Les couleurs et les peuples de toutes les nations fusionnaient ; des enfants en naissaient ; il arrivait que, lors des dîners, un coin soit désormais réservé aux bébés. Agathe s'attendrissait en les voyant, rêvait de ventre arrondi, de cette jouissance maternelle de sentir en soi un autre être, mais il n'était pas encore question d'avoir un enfant, même si l'idée, comme l'envie, faisait son chemin. Les mélanges, dans ce milieu, n'étaient pas rares ; ainsi, les couples se faisaient et se défaisaient, donnant lieu à des enfants de pères ou de mères différentes, grande famille dont émergeait de tout côté la vie.

Agathe se sentait à l'aise dans cette société sans règle et sans tabou ; à vrai dire, ses parents ne lui en avaient jamais inculqué, ayant eux-mêmes inauguré cette ère de libération, en s'opposant parfois violemment à leurs propres familles et, surtout, en réussissant leur vie. Agathe avait été une enfant adorée, et ne s'était jamais formalisée de la liberté d'esprit de ses

parents. Elle savait que son père avait eu des maîtresses ; que sa mère entretenait les derniers liens
secrets avec le continent et la lutte auxquels elle avait
renoncé, en accueillant sans cesse des réfugiés politiques chiliens et latinos de toute l'Amérique du Sud,
qu'elle s'appliquait à ne pas lui présenter.

Mais le couple qu'ils formaient lui paraissait
aujourd'hui tellement solide, que cette fidélité envers
et contre tous était la preuve la plus convaincante du
bienfait de ce mode de vie. Ils avaient traversé des
drames qui auraient brisé une relation normale. Ils
avaient affronté les difficultés érigées face à leurs
revendications de bonheur par la société ainsi que par
leurs parents. L'amour, lorsqu'il était authentique, ne
pouvait pas être menacé par la liberté de chacun en
dehors du couple établi ; en revanche, il pouvait
s'amenuiser de trop de brides, de trop de répressions.
Cependant, pour en venir à cette conclusion, Agathe
fit un long cheminement ; difficile d'accepter un
modèle qu'on n'a pas soi-même conçu, surtout
lorsqu'il vient de ses propres parents. Quel sillage
peut dès lors emprunter la nécessaire crise d'adolescence ? Agathe acheva son enfance par un élan de
mysticisme ; elle se voulait religieuse ; d'emblée, elle
sut imposer ses choix à ses proches ; ils ne la criti-
quèrent jamais. Sa période mystique lui passa, bien
qu'elle en gardât un sens religieux aigu. Elle
commença alors à vivre une vie normale de jeune fille
attirée par le monde nouveau qui s'ouvrait à elle.
Pourtant, elle restait sage, prude, revendiquant une
pureté de vie absolue. Elle avait alors la tyrannie de la
jeunesse, l'exigence sans faille qui fait les grands
saints ou les criminels fanatiques. Il était difficile de
reconnaître, sous la jeune femme d'aujourd'hui,
l'enfant qu'elle fut, moins encore la toute jeune fille.

Peut-être est-il temps de faire part d'un événement dont on n'a pas parlé encore. Un événement difficile à raconter, au point qu'on aurait envie d'en écourter le récit.

C'est un moment de la vie d'Agathe qu'il paraît impudique de décrire mais qu'on ne peut taire, et dont on parle maintenant, parce que ce n'est pas le moment. Ce moment n'adviendra pas, autant faire violence au récit. Rien de tel qu'une parenthèse incongrue pour donner à ce drame la place qu'on souhaiterait lui refuser. Mais l'occulter, c'est se condamner à ne pas comprendre la jeune fille.

Agathe porte un secret qui explique peut-être son désir de repousser toutes les limites que l'existence impose. On ne peut saisir sa complexité si on ignore ce qu'elle tait obstinément et dont elle n'a pu parler qu'à Victor et à Hadrien.

Agathe avait un frère, Antonio. Un frère jumeau. À treize ans, Antonio s'est donné la mort.

Indéfectiblement liés depuis la première seconde de leur existence, Antonio et Agathe avaient toujours tout partagé. Ils avaient vécu sans jamais se quitter, dormi ensemble bien qu'ils aient chacun leur chambre. Ils lisaient les mêmes livres, discutaient à n'en plus finir d'un monde qui n'appartenait qu'à eux pour la bonne raison qu'ils l'avaient intégralement inventé. Agathe avait dirigé spontanément leur existence, prenant souvent les décisions pour son frère. Elle l'orientait dans ses choix, ses lectures. Ils s'étaient tenu la main en lisant *La Porte étroite* qu'ils connaissaient par cœur. Leur livre de chevet restait *L'Idiot* dont Antonio était convaincu d'être la réincarnation. Profondément mystiques, ils inventaient des prières, s'imposaient une ascèse de vie qui les isolait du reste du monde, et se fermaient à l'extérieur, en multipliant les exigences et les sacrifices, comme s'il s'était agi d'une secte. Agathe avait avec véhémence combattu l'attirance d'Antonio pour la langue et la culture sud-américaines. Leur existence serait pure des contradictions de leur mère. Puisqu'elle détenait un secret, ils feraient de même et frapperaient d'interdit toute allusion à l'Amérique latine.

D'une sensibilité maladive, Antonio semblait être né pour souffrir alors que sa sœur était probablement sortie du ventre de leur mère en éclatant de rire. Il était entièrement dépendant d'elle, buvait ses paroles et, si elle était à la recherche de sa propre vérité, ses interrogations se transformaient en réponses à l'oreille de son frère. Antonio la croyait ; elle était pour lui le sens de sa vie et l'objet de sa foi comme de ses dévotions. Parce qu'il n'était pas comme les autres et qu'il ne pouvait survivre sans sa dose quotidienne de médicaments, sa sœur lui inventait un monde féerique où ne régnaient que la pureté et l'amour, mais où la cruauté avait sa part. Elle n'avait pas alors conscience du poids que représentait cette confiance au-delà de tout rapport humain, cette confiance divine qui, traversée d'un doute, aurait signifié la mort.

Selon la médecine traditionnelle et aux yeux du commun des mortels, Antonio était un peu anormal. D'une certaine manière, Agathe aussi, mais sa différence n'était pas de celles dont la société s'émeut. L'exhibition de leurs incohérences n'était qu'une expression impossible d'une révolte contre le silence de leur mère ; ils avaient au fond d'eux l'intuition de ses souffrances ; et l'ignorance dans laquelle on les maintenait alourdissait le poids de la mauvaise conscience. D'où venaient ses cicatrices ? Eux-mêmes en portaient les stigmates et la honte. Ils ne savaient pas si elle avait été expulsée, torturée, mais ressentaient dans leur propre chair qu'elle était coupable d'être en vie lorsque ses camarades ne l'étaient plus. Ils s'étaient alors réfugiés dans la différence.

Antonio, sans autre soutien que les non-dits de ses parents, ne pouvait vivre sans sa sœur, aussi bien matériellement qu'affectivement. Ils étaient jumeaux, et il était convaincu que, s'ils réussissaient à fusionner en un seul corps, il supporterait la douleur intolérable qui l'accablait. Mais là était la limite : ils étaient deux.

En grandissant, Agathe commença à mener une vie autonome. Active, sociable, elle attirait déjà les garçons comme les filles, qu'elle invitait parfois chez elle, demandant à son frère de les laisser tranquilles. Il se terrait alors dans sa chambre, fermait les rideaux, et fixait les ténèbres comme s'il s'agissait d'un abîme. Il désirait s'y engloutir. Agathe le privait de cette force dont elle faisait preuve dans tous ses actes, toutes ses paroles. Il voyait bien que les gens qu'elle invitait l'admiraient et il en souffrait d'autant plus. Ces intrus commettaient impudemment une sorte de viol ou de profanation qui les mènerait à la mort. Antonio et Agathe les sacrifieraient sur l'autel de leur amour. Elle s'égarait, il le savait, mais il saurait la ramener sur le droit chemin. Ils s'aimeraient dans la mort, si tel était l'unique gage de pureté et d'union indestructible. Intransigeant, il condamnait les compromis de sa sœur avec un monde qui ne l'acceptait pas. Il y puisait ses rêveries morbides, ses désirs impuissants, ses vengeances fantasmées. Paranoïaque et fou d'amour, il ne pouvait supporter qu'elle puisse exister hors de cette maison, de cet univers, du couple parfait qu'ils formaient. Chacune de ses sorties était une torture, chacun de ses pas dans ce monde corrompu une trahison.

Agathe était la seule à se rendre compte à quel point son frère divaguait, mais pour rien au monde elle ne l'aurait laissé interner. Il n'y aurait pas survécu. Ses parents s'inquiétaient, mais ils ne mesuraient pas la gravité de la situation. Antonio ne voulait entendre que sa sœur. Ce n'était pas une mince tâche que d'assumer le poids de ce frère malade mais elle l'aimait en retour, de façon inconditionnelle. Elle prenait conscience qu'il lui faudrait, pour s'épanouir un jour, se séparer de cette part d'elle-même. Pourtant, à l'inverse, elle limita les sorties et n'invita plus ses amis à la maison. Elle passa le plus clair de son temps dans la chambre d'Antonio, lui donnant ses médicaments qu'il n'acceptait pas d'une autre main. Elle essayait bien de le calmer, de le rassurer en lui expliquant qu'elle avait besoin parfois de le laisser seul, qu'elle avait droit à des moments de liberté. Quand elle abordait ce sujet, il ne l'entendait plus, cessait de parler et s'enfermait dans une chambre obscure dont il refusait de sortir. Au bout de quelques jours, Agathe ouvrait grande la porte, allumait toutes les lumières, et soulevait son frère pour le sortir de la pièce. Il se laissait faire, abandonné sans force aux bras de sa sœur, comme un enfant malade, un enfant apeuré. Elle ne cédait pas, l'obligeant à marcher, à lui parler. Elle savait qu'elle aurait le dernier mot.

Un jour, elle ne l'eut plus.

Ils s'étaient violemment disputés et elle était partie dormir chez une amie. Son père l'appela dans la nuit. Antonio venait d'être hospitalisé. Il avait avalé la totalité des cachets de la semaine. Il y avait peu de chances de le sauver.

Agathe raccrocha et partit sans mot dire rejoindre ses parents. Sa mère pleurait doucement, assise sur un banc. Son père l'attendait, l'œil sec, mais le visage défait.

Antonio était mort.

Elle se précipita dans la chambre pour le toucher, lui caresser le visage. C'était la première fois qu'elle voyait un cadavre. En lui saisissant les mains, elle fut saisie de soubresauts violents, incontrôlables. Son père la prit dans ses bras et l'entraîna hors de la chambre. On l'assomma de calmants une semaine durant. Lorsqu'elle émergea, elle s'enferma dans un mutisme dont rien ne put la distraire. Son père lui parlait de longues heures. Il savait qu'elle ne lui répondrait pas, mais il estimait nécessaire qu'elle ne rompe pas le contact avec le monde. Il racontait ses journées, son travail, les manuscrits qu'on lui avait remis, les nouveaux talents qu'il avait découverts. Parfois, il n'hésitait pas à évoquer Antonio, dans l'espoir d'alléger les souffrances de sa fille, mais surtout sa culpabilité dévorante. Le nom de son fils devait être prononcé normalement, sans provoquer de sentiments violents et malsains. Ils avaient aimé cet enfant. Aujourd'hui il était mort, sans autre raison que le destin. Ils devaient accepter ce fait sans céder aux tourments de leur conscience inutilement coupable. Toute la maison étouffait sous ce poids.

Agathe se sentait entièrement responsable de cet acte de rébellion contre un pouvoir qu'elle avait exercé malgré elle. Ce geste de désespoir l'accusait à l'évidence. Elle avait abandonné son frère au plus mauvais moment.

Le seul moyen qu'il avait trouvé pour se faire entendre était de se tuer. Sa dernière parole avait été

un appel à l'aide ou une condamnation. Elle le suivrait
sur la voie du silence car nul mot n'était désormais
nécessaire. Puisqu'elle ne pouvait plus lui répondre,
elle s'interdirait l'usage de la parole.

La dernière fois qu'elle l'avait vu vivant, ils
s'étaient presque insultés. Pourquoi n'avait-elle pas
compris que, cette fois, la dispute avait dépassé les
limites ? Son frère était gravement malade, elle le
savait, elle aurait dû le faire soigner... Elle n'en avait
pas eu la force... L'imaginer dans un hôpital psychia-
trique lui avait été insupportable... Elle avait été lâche.

Son père devinait ces déchirements intérieurs et ces
condamnations sans appel. Il avait toujours redouté
la mort d'Antonio. Depuis sa naissance, elle était
inscrite dans la faiblesse naturelle de sa constitution et
de son esprit. Mais il ne pouvait imaginer Agathe
recluse, isolée de la vie, vaincue et muette. Il
déployait toute son énergie pour l'arracher au silence
et à la solitude dont elle refusait de sortir.

Il lui répétait qu'un séjour en hôpital aurait tué
Antonio. Elle le savait mieux que quiconque et elle
n'avait pas le droit de se reprocher cette mort. La
culpabilité était le pire des péchés. Rien de tel pour
détruire de l'intérieur un être, à petit feu et sans rémission. Si Antonio avait vécu aussi longtemps, c'est
parce qu'elle avait veillé sur lui avec une assiduité
dont personne n'aurait été capable. Se rendait-elle
compte à quel point elle avait sacrifié sa vie pour un
frère malade ? Il était temps qu'elle s'occupe d'elle.

Agathe ne pouvait entendre ce que lui répétait
presque chaque jour son père. Elle ne voyait que sa
faute. Elle avait rendu dépendant d'elle un être qui
n'avait de toute façon aucune autonomie. Elle avait
trahi celui qui lui faisait confiance. Elle lui avait

menti. Le poids de ces reproches pesait lourd et elle l'alourdissait à dessein. Il fallait qu'elle expie.

Son père ne faiblit jamais. Il devait sauver deux femmes différemment atteintes du même mal. La mère d'Agathe venait parfois parler à sa fille ; elle ne pouvait lui être d'un grand secours, écrasée sous la même douleur, la même culpabilité ; mais la sienne se nourrissait d'autres morts. Après les camarades, c'était son fils ; après son pays, c'était son sang.

Le lendemain du premier anniversaire de la mort d'Antonio, Agathe revint à la vie. Elle avait accompli le deuil. Deuil de son frère, deuil de sa culpabilité, deuil de son sacrifice. Le temps était venu de repartir à la conquête de sa propre existence.

Son père avait pris une grande part à sa guérison, mais elle avait, pendant cette interminable année de silence, réfléchi intensément à l'existence qu'elle avait menée, à celle qu'elle méritait, comme le disait son père, aux opportunités qu'elle avait écartées des années durant, pour l'amour d'un frère qui la récompensait d'un suicide ; elle finit par lui en vouloir, puis elle lui pardonna : elle était alors sauvée.

Deux ans plus tard, elle avait invité Hadrien à habiter chez elle. C'était une jeune fille d'une maturité rare. Elle avait affronté la mort pour renaître. Elle bannirait désormais tout ce qui pouvait brimer son désir de vivre. C'est dans cet état d'esprit qu'elle avait appris à Hadrien à rejeter le chantage affectif et pervers de sa mère, et qu'elle parvint à le sauver à son tour.

6.

Face au Luxembourg, les quatre amis avaient terminé de déjeuner. Agathe entraîna Victor rue Saint-
Jacques ; elle avait envie de lui raconter l'entrevue du
matin avec son professeur.

Ils entrèrent dans l'appartement baigné de lumière.
Agathe fit du café, tandis que Victor s'était allongé
sur le lit, les mains croisées sous la tête.

Elle voulait aussi lui demander des nouvelles de
l'évolution de ses travaux, l'inciter à écrire
puisqu'elle croyait à son talent, le pousser à transformer cette passion secondaire en une priorité.

Elle commit l'imprudence de s'approcher du lit ; il
la prit par la taille et la fit basculer ; elle abandonna
son corps aux grandes mains de Victor ; ses paumes
lisses caressaient ses épaules, puis son dos.

Ils s'aimèrent dans la sueur et la lumière
d'automne ; la chambre n'était pas assez vaste pour
accueillir leurs désirs.

En fin d'après-midi, fourbus, ils s'allongèrent côte
à côte sur les draps défaits ; le soleil couchant venait
sécher leur peau, doucement ; Agathe posa la tête sur
le torse de Victor ; elle y éprouvait toujours un senti-

ment de paix et de protection, et songea avec tristesse qu'ils allaient bientôt se séparer.

Victor attendait les premiers jours de sa rentrée universitaire sans pouvoir se décider à commencer de travailler à sa thèse. Il n'osait pas s'attaquer à la somme de documentation qu'il serait amené à dépouiller, et dont la plus grande partie se trouvait à Londres ; ses recherches consistaient à comparer l'émigration juive des pays anglo-saxons et celle des pays latins. Était-ce pour se rapprocher de ses origines qu'il avait été attiré par ce sujet ? En tout cas, le fait que les archives soient réparties entre Oxford, Londres, Paris et quelques autres grandes capitales l'avait indéniablement motivé. Ainsi devrait-il s'absenter tous les deux mois, des semaines durant ; expérience nouvelle imposée à leur couple et qu'ils accueillaient avec une certaine curiosité. Victor était avide de voyages ; il en avait fait très peu dans sa courte existence ; d'abord, parce qu'il n'avait pas d'argent ; ensuite, parce que lorsqu'il en avait eu, comme élève professeur à l'École normale supérieure, il avait rencontré Agathe qui l'intéressait plus que les villes inexplorées de la vieille Europe, ou les continents lointains, sur lesquels il avait lu tant de récits de voyages, de livres historiques et même de romans, au point qu'il lui semblait connaître un nombre incalculable de ces lieux ; il se les était imaginés, enfant, comme l'espace de toutes ses conquêtes ; s'était vu armateur, pirate, chef d'armées puissantes, à la tête d'un empire maritime ; tôt, il s'était imprégné d'un univers historique et romanesque, dans lequel il avait mené plusieurs vies ; il aurait voulu devenir archéologue ou océanographe ; finalement, il était historien.

Le lendemain, Victor rejoignit sa mansarde de la rue Keller, toujours très animée à cette heure de la matinée. Il s'arrêta au bureau de l'association gay qui se trouvait juste en bas de chez lui et dont il connaissait la plupart des participants. Il était un des rares hétéros régulièrement conviés aux soirées homos du quartier. Il s'y rendait souvent en compagnie d'Agathe. Elle participait plus activement que lui à ces dérives collectives. Les danses frénétiques sous ecstasy, ces moments irréels où le temps, l'espace et l'énergie semblent ne plus avoir de limites, ne l'avaient jamais effrayée. Victor n'était pas un fanatique de ces nuits épuisantes qui nécessitent deux jours pour s'en remettre.

Quand il entra dans la pièce où plusieurs types répétaient en chœur une chanson de Dalida, il tomba sur Sylvain qui parut démesurément ému de le revoir après ces deux mois d'absence. Serveur dans un bar à la Bastille, Sylvain passait ses nuits dans les boîtes. Il avait été amoureux de Victor, peut-être l'était-il encore, bien qu'il se soit fait une raison, acceptant le conformisme sexuel de son ami. Lorsqu'il lui parlait, il ne pouvait s'empêcher de lui toucher l'épaule, la joue ou les cheveux. Victor le laissait faire. Ces attentions venant d'un garçon de son âge l'amusaient. Il restait toujours vaguement curieux d'une éventuelle tentation homosexuelle qui pourrait le saisir à l'occasion de ces caresses anodines. Mais ça ne le troublait décidément pas.

Lorsque Victor l'avait rencontré, Sylvain venait de perdre son compagnon du sida. Miraculeusement, il n'avait pas été contaminé. Aussi avait-il, avec quelques amis, monté cette association qui recevait toutes sortes de types confrontés à d'innombrables problèmes. Certains y venaient pour écouter de la musique ou boire une bière, d'autres se retrouvaient pour discuter, se rencontrer, des couples se formaient et se défaisaient. Sylvain, précisément, n'arrivait pas à construire une relation durable et s'en plaignait à Victor qui écoutait avec patience ses histoires d'amour avortées. Sylvain n'aimait que les petites frappes qui le trompaient à la première occasion. Il s'accrochait, souffrait, s'abaissait pour retenir l'amant infidèle et finissait par le laisser partir dans un éclat de colère. C'était toujours la même histoire qui le laissait accablé, le regard terne, shooté au Prozac. Victor passait beaucoup de son temps à tenter de lui remonter le moral. Il l'invitait à dîner, puis à danser dans une boîte où il était susceptible de faire des rencontres. Lorsque la soirée avait été fructueuse, Victor le laissait repartir au bras d'un bel éphèbe, lui rappelant toutefois qu'il devait se protéger. Les mauvais soirs, il devait le porter jusque chez lui en piteux état. Victor s'exaspérait parfois des contradictions infantiles de Sylvain, mais c'était aussi ce qui l'attachait.

Tandis que le chœur s'égosillait derrière lui, il eut droit au récit circonstancié des vacances de Sylvain. Ses amours de plage, les soirées mémorables de la côte, le jeune blond si musclé qui l'avait emmené chez lui un soir et qu'il n'avait plus revu, l'expédition en Grèce avec tous les copains, la vie de fêtes qu'ils avaient menée là-bas, la fatigue en rentrant.

Après avoir sifflé trois bières, Victor monta chez lui. Pour se changer les idées, il s'arrêta chez Kamara et tomba sur sa mère. Mme G. lui raconta par le menu le mois qu'elle venait de passer au Mali avec sa famille. Elle n'y était pas retournée depuis dix ans. Elle parla de sa mère, de ses sœurs, de son père, et

décrivit la grande fête qu'ils avaient organisée pour
leur arrivée. Tout le village était venu. Ils avaient évoqué les dix ans passés si loin les uns des autres. En
vrac. En larmes. Au bout du mois, à peine se sentait-
elle à nouveau chez elle, ils avaient dû repartir. À nouveau les pleurs, les embrassades. Les enfants avaient
vu leurs grands-parents avant qu'ils ne disparaissent,
c'était le principal. Au village, Kamara avait fait des
démonstrations d'écriture. C'était lui, désormais, qui
écrirait les lettres. Victor sourit largement pour bien
marquer qu'il avait compris le remerciement implicite
qui venait de lui être habilement adressé pour son aide
régulière au garçon de dix ans. Mme G. avait ramené
des légumes et des plantes de là-bas, il fallait absolument que Victor vienne dîner chez eux, ce soir même.
Il accepta courtoisement l'invitation. Quand la famille
retournerait-elle au Mali ? Dieu seul le savait. Ils
avaient épuisé une grande part de leurs économies
pour payer cette expédition. Ils continueraient à rêver
au prochain voyage sans trop y croire. Mme G. tint à
préciser que sa famille n'avait pas à se plaindre.
Abdullah avait réussi à les faire venir en France.
Combien de familles étaient restées au pays, séparées
du père ou du mari ? Combien étaient-ils dans les
foyers, à Clichy ou dans le vingtième arrondissement,
à vivre dans une chambre de deux mètres carrés, et
faire trois quarts d'heure de RER pour dix heures de
plonge dans les chaînes de restaurant ? Son frère
vivait ainsi, loin des siens. Le père de son mari de
même. Mme G. s'estimait privilégiée. Dans son discours se mêlaient, subrepticement et comme un
refrain, des invocations à quelques divinités. Ses
paroles brassaient, dans un flot poétique, les détails
matériels d'une vie de ménages et des évocations reli-

gieuses colorées qui leur donnaient sens. Nourrie
d'une spiritualité intense, l'athéisme de Victor la laissait perplexe bien qu'indulgente. Elle ne le comprenait tout simplement pas. Elle puisait une force
remarquable dans sa foi et une transcendance dont
elle sentait partout la présence. Victor était sincèrement impressionné par la vie spirituelle de cette
femme épanouie, riant de tout et pourtant fataliste.
Jamais il n'avait vu une telle grandeur d'âme, une
telle tolérance et un tel désintéressement.

Lorsqu'il ressortit de l'appartement des G., il était
habité par une présence maternelle, une émanation
spirituelle qui ne le quitterait pas de l'après-midi.
Cette femme ennoblissait tout ce qu'elle touchait et
c'est pour cela qu'il aimait tant lui rendre visite. Elle
s'imposait par sa chaleureuse corpulence, la douceur
de ses mains, la lumière amusée de son regard.

Il rentra chez lui, s'installa à son bureau et se mit au
travail.

Victor devait écrire cinq pages dans la journée. À
défaut d'inspiration quotidienne, il croyait aux vertus
de la discipline. Depuis l'âge de douze ans, il écrivait : nouvelles, petits romans, poésies. Il ne relisait
jamais ces bouts de texte égarés çà et là dans des
cahiers oubliés mais continuait imperturbablement à
accumuler ces liasses de feuillets jaunis, raturés, froissés, saturés d'encre et d'interrogation. Il avait récem-
ment substitué à cet amas de feuilles volantes un
traitement de texte qui détonnait dans le désordre de
sa mansarde. Le rythme de ses phrases en fut changé.
Il dut contrôler plus sévèrement son style pour tenter
d'atteindre cette perfection à laquelle il aspirait,
nourri de lectures précoces et de joies littéraires.
Aucun auteur n'égalait Dostoïevski ; seul Stendhal

pouvait provoquer de semblables émotions. Victor était à la recherche de la pureté absolue de l'écriture. Il avait conscience du classicisme de ses goûts, mais ne pouvait s'en défaire. Et il travaillait, en quête du livre qui synthétiserait l'esthétique dont il était épris et ce qu'il désirait livrer de sa vision du monde.

Étrangement, c'était l'histoire qu'il avait choisi d'étudier. Major de sa promotion à l'École normale supérieure, il avait été second à l'agrégation. Pourtant, il semblait peu attaché à cette matière comme à son école. Sa vie n'était visiblement pas là. Victor était obsédé par son incertitude quant à l'achèvement du roman qu'il avait commencé ; il écrivait aussi un essai et ne venait à bout ni de l'un ni de l'autre. Rempli de doutes, il était mis à la torture par l'alternance des périodes d'impuissance et des longues journées où il produisait sans effort et avec profusion. Ce soupçon quant à son talent le maintenait dans une inquiétude permanente.

Son ordinateur était long à démarrer ; il avait le temps de descendre en courant acheter un pain au chocolat. Il prendrait aussi la presse. Décidément, il ne tenait pas en place et cette discipline littéraire qu'il avait réussi à s'imposer dans le Sud était prête à disparaître sous la pression parisienne. Les retrouvailles avec son quartier le mettaient dans un état d'excitation qu'il ne parvenait pas à contrôler et auquel il cédait volontiers. Sylvain, le voyant repasser, lui fit signe. Lorsqu'il arriva devant le Pause-Café, le patron ainsi qu'un groupe attablé le hélèrent à leur tour. Il aimait ce coin de Paris, en connaissait presque tous les habitants, tout au moins dans le périmètre circonscrit par la rue de la Roquette, la rue de Charonne et le cimetière du Père-Lachaise ; un quartier qui avait son propre rythme, ses lenteurs, ses vertiges et ses explosions. Une communauté relativement solidaire, intégrant toutes sortes de minorités, homosexuels, vieux Parisiens qui avaient connu la guerre, patrons de café, serveurs, artistes décadents, junkies, jeunes couples, Maliens et Sénégalais ; la contiguïté du onzième et du douzième arrondissement reliait ces disparités par un espace partagé, aimé, identitaire. Celui qui ne s'intégrait pas était traité de bourgeois, d'arrogant, de raciste, ou toute autre sorte d'épithètes qui définissaient en creux les limites de la communauté.

Fuyant le Pause-Café où il prenait chaque jour son petit déjeuner, évitant le Sud's où il dînait parfois, réussissant à ne pas s'arrêter à l'association, Victor remonta chez lui et s'assit à son bureau. Il fallait effectuer une sorte de saut qualitatif entre l'atmosphère de la pièce, le monde environnant, et la sphère imaginaire dans laquelle il pouvait, une fois installé, se perdre pendant des heures, voire des journées entières, dans l'oubli des événements qui l'entouraient. Souvent, il n'arrivait pas à pénétrer de plain-pied ce monde onirique. Il se heurtait à des résistances de tous ordres, cigarette, gourmandise, se levait pour téléphoner, puis se rasseyait, irrité de ses distractions. Enfin, quand l'écriture le prenait, Victor devenait écriture ; plus rien n'existait autour de lui.

Pendant ce temps, Agathe, au Petit Suisse, commençait à traduire un article en allemand ; elle était censée être germaniste, à l'encontre de sa mère dont elle n'avait pas voulu apprendre la langue, mais rechignait à aller en Allemagne même si elle avait à Berlin plusieurs familles qui auraient pu l'accueillir. Elle préférait se rendre à Londres, où se retrouvaient assez fréquemment d'autres de ses amis ; l'un d'eux, à moitié anglais, pouvait la loger chez sa mère. Elle disposait aussi d'un pied-à-terre, chez une jeune Anglaise qui tenait une galerie d'art moderne. Agathe couchait fréquemment dans ce studio situé au cœur de Londres. Tantôt elle s'y rendait seule, mais, le plus souvent, préférait voyager accompagnée de trois ou quatre amis, amateurs comme elle de la capitale anglaise.

Une sorte de réseau parisien à Londres s'était formé depuis près de quatre ans. Des artistes pour la plupart, des restaurateurs de tableaux, des enfants fortunés qui n'avaient rien d'autre à faire que de dessiner la carte de la nuit la plus décadente ; on organisait aussi des *parties* dans la ville entière, des chasses au trésor, ou des parties de cache-cache géantes, aux gages toujours plus audacieux. Ces soirées pouvaient avoir lieu à Paris, comme à Londres ; on s'y rendait alors en bandes ; ceux qui n'avaient pas d'argent empruntaient à ceux qui en avaient ; y régnaient l'extravagance, l'audace, l'esprit de jeu, l'absence de limites. Agathe vivait dans ce monde depuis qu'elle avait dix-sept ans. Elle connaissait les règles et les excès de cette société de jeunes gens issus de tous milieux, réunis par une sorte de cynisme et d'indifférence. Si quelqu'un sortait du lot par plus d'audace, plus de désinvolture, il devenait chef de file, créateur de nouvelles valeurs : il s'agissait d'ériger la gratuité en principe, mais pour ceux qui le suivaient, adeptes non avertis de cette morale nouvelle, la gratuité devenait nécessité, et cette libre création de la part d'un être plus cynique que les autres se transformait pour beaucoup en religion. Une émulation malsaine avait ainsi coûté la vie aux plus faibles. Pourtant Agathe ne craignait pas l'influence de ce milieu où elle avait longtemps évolué : elle en reconnaissait la sinistre beauté, mais refusait de partager cette décadence lascive. En revanche, elle partageait ce goût de la fête, poussé à l'excès, mascarade ironique de la fin du monde ; et ce goût du plaisir qui cède à la dérision sans la sacraliser, résidu inconscient d'une origine lointaine dont on l'avait coupée, tempérament latin qui resurgissait dans ses moindres frasques. Agathe avait pour principe égoïste de prendre ce qui l'intéressait et de rejeter le reste ; elle poussait peut-être le cynisme plus loin que les autres ; ainsi, elle se mouvait avec aisance dans la légèreté pleine de sensualité de ces soirs de permissivité absolue ; elle aimait les ornements qui donnent sens aux profondeurs ; la culture de l'essentiel était pour elle meurtrière. Rien de plus léger et de plus vivant que la superficialité. Mais ce mot était galvaudé. Rien de plus beau que la gratuité ; en cela elle avait fait siennes les non-valeurs de cette société. La vie ne se saisit pas. Ces instants irréels, beaux à force d'absurdité, donnaient raison à l'irrationnel de son existence. Plaisir des sens, déploiement forcené d'énergie, rires, boissons, rencontres incongrues, extravagantes, amitiés réelles, excitations artificielles. Elle était rapidement devenue une des figures de proue, connaissant tout le monde, connue de tout le monde. Mais on savait aussi qu'elle avait dressé des frontières entre la curiosité et le manque de jugement, le plaisir et la perdition, le désir et le danger. On ne pouvait pas tout lui proposer, elle désapprouvait ouvertement certaines pratiques et partait lorsque ses propres limites étaient transgressées. L'indépendance suscite dans un même mouvement respect et réserve, admiration et jalousie. Elle est

néanmoins indispensable pour résister à ce monde
décadent qui a provoqué plus d'une noyade. Estelle,
son amie d'enfance, était en train d'y sombrer. On la
disait très diminuée, inconsciente la moitié du jour,
les yeux brûlants, les gestes ralentis ; le soir, elle
s'éveillait, s'habillait n'importe comment, devenait
presque sale, elle jadis si élégante. Elle traînait dans
les bars, en attendant que les soirées commencent.
Alors elle buvait, avalait un acide, avant de céder aux
fantasmes plus dangereux que provoquent les drogues
violentes. Agathe devait couper court à cette chute
inéluctable. C'est elle qui l'avait introduite dans ce
milieu, la timide Estelle, la petite Estelle ; mais elle
n'avait pas mesuré le manque de solidité et d'assu-
rance de son amie, sa détresse profonde. Dans ces
lieux où tout était autorisé, où les paradis artificiels
permettent de s'accepter avec simplicité, couler est
une facilité. Ce soudain bonheur se transforme en
souffrance, la liberté en aliénation, la découverte du
paradis en voyage en enfer ; Estelle en était là de son
cheminement ; elle avait rencontré les limites de son
corps.

Mais ces rêves éveillés qui entraînaient Agathe
dans les méandres de sa vie nocturne, mi-londo-
nienne, mi-parisienne, jusqu'à l'évocation douloureuse d'Estelle, la détournaient de l'article qu'elle
avait à traduire. Elle se remit au travail en comman-
dant un autre café allongé. La douce chaleur de
l'après-midi n'était pas propice à la concentration.

7.

Le soleil déclinait, lorsque Agathe regarda à sa montre le temps qui la séparait de son rendez-vous avec Hadrien. La perspective de la soirée commençait à se dessiner. Il était près de sept heures ; elle devait passer chez elle pour faire la transition entre cet après-midi laborieux, riche de perspectives nouvelles et d'affinements du plan de sa thèse, et la soirée entièrement dévolue à Hadrien, au cours de laquelle elle s'investirait affectivement autant qu'elle s'était investie intellectuellement pendant ces quelques heures.

Agathe quitta le Petit Suisse, remonta la rue Médicis et la rue Soufflot avant de tourner à droite dans la rue Saint-Jacques. Son deux-pièces se trouvait au cinquième étage. La porte d'entrée ouvrait directement sur la chambre divisée en deux niveaux : le lit se trouvait en contrebas, proche de la fenêtre qui donnait sur la rue. On y accédait par deux petites marches. Agathe y avait posé un vase en terre cuite où elle entreposait foulards et écharpes. Près du lit, une bibliothèque de deux étagères contenait les romans et les recueils de poèmes qu'elle aimait parcourir avant de se coucher.

Le lit était posé à même le sol, sur une moquette rouge recouvrant un parquet vétuste, qu'elle n'avait pas réussi à récupérer. En face du lit, une télévision et un magnétoscope. Le fond de la pièce était tapissé de livres de philosophie, vieux outils de travail dont Agathe s'était beaucoup servie au début de ses études. La cloison était étroite entre la chambre et le bureau, une grande pièce aux murs blancs dissimulés par des étagères croulant elles aussi sous les livres. La table faisait face à la fenêtre. Pour aller dans la cuisine, il fallait ressortir du bureau ; une porte parallèle donnait alors sur une pièce tout en longueur, assez étroite, mais suffisamment outillée pour qu'on pût imaginer que de nombreux repas se préparaient là ; elle était recouverte de carreaux en faïence blanche ; au fond, Agathe avait pu y faire tenir une vieille table bistrot en marbre blanc et gris achetée à la brocante du boulevard Richard-Lenoir. Elle y prenait parfois ses petits déjeuners ou ses déjeuners, mais le plus souvent elle dînait dans sa chambre où elle installait une table basse marocaine, qui pouvait accueillir cinq à six personnes. Lorsqu'elle recevait plus de monde, elle mettait de l'ordre dans son bureau, débarrassait la grande table en bois, et y dressait le couvert. Il arrivait aussi fréquemment qu'elle s'installe devant la télévision, un plateau en bois sur les genoux, grignotant comme au cinéma pop-corn ou chips mexicaines trempées dans les sauces piquantes Tous les éléments de cette maison s'intégraient à son idée du confort. Une dernière porte, la plus proche de l'entrée, et la plus éloignée du lit, donnait sur la salle de bains ; il fallait, pour y accéder, monter les deux marches menant à la penderie et à l'armoire incrustée dans le mur. Dans la salle de bains en carreaux de faïence blanche, du même format que ceux de la cuisine, se trouvait une baignoire profonde dans laquelle Agathe passait de longues heures. Autour du lavabo trônaient, comme le rappel d'une présence féminine, toutes sortes de parfums, de savons et de crèmes qui répandaient dans la pièce une odeur de propre et de fraîcheur.

C'était dans ces lieux qu'elle aimait se réfugier. Ses parents avaient acheté l'appartement quatre ans auparavant. Depuis qu'elle gagnait un salaire en tant que normalienne, elle tenait à les rembourser par un loyer mensuel pour se sentir chez elle. Elle avait hanté les brocantes et les Puces où elle avait acheté en plusieurs week-ends ses quelques meubles. Son premier objet choisi fut la cave à vin, simple armature en fer qui formait des cases où coucher les bouteilles. Elle le trouvait esthétique, et hautement pratique. La plupart des murs restaient nus quand ils n'étaient pas dissimulés par des rayons de livres.

Dans cet appartement, elle vivait essentiellement à même le sol, sauf lorsqu'elle travaillait ; elle avait alors besoin de hauteur ; son bureau donnait sur la rue. Elle pouvait observer son vis-à-vis lorsqu'elle levait les yeux, déconcentrée ou rêveuse. L'appartement d'en face logeait sans cesse de nouvelles personnes, la plupart du temps des étudiants. Il y avait eu un petit couple bon chic bon genre, sans grand intérêt, puis un jeune homme du style poète maudit dont l'air désespéré s'évanouissait lorsqu'il buvait un verre de jus d'orange en allumant la télé ; son visage mal rasé se métamorphosait en celui d'un enfant de chœur qui téléphone à ses parents pour leur souhaiter l'anniversaire de leurs trente ans de mariage. Il fermait les rideaux lorsqu'il se déshabillait. Celui-là l'avait beaucoup distraite. Il y avait eu ensuite un matheux ;

Agathe le devinait à son visage sérieux et disgracieux, à ses cheveux coupés court, à sa chemise et son immuable pantalon en velours. Sa lumière ne s'éteignait jamais avant deux heures du matin; il ne recevait personne. Un jour, elle le croisa dans un café avec des amis à lui; tous la même tête et le même uniforme; pourtant, ils ne parlaient pas d'équations, mais de cul sur un ton de potache qui ne l'étonna qu'à moitié.

Vers dix-neuf heures, Agathe choisit des habits du soir, une longue robe noire et souple qui moulait son corps ferme des seins aux chevilles. Elle enfila des bottines noires en daim aux talons carrés. La robe devenait transparente à mi-cuisses mais restait suggestive et sobre. Il lui arrivait de s'habiller de manière extravagante, ironique, parodique; mais, ce soir, elle fut élégante. Elle releva ses cheveux; des mèches s'échappaient de la barrette; enfila une veste à col pointu tigrée jaune et noir. Elle prendrait le 86 pour se rendre au China Club.

Elle arriva la première au bar colonial, hésita à s'asseoir dans un des fauteuils club qui formait, avec un canapé, un petit salon anglais. Elle préféra attendre son ami au zinc, grignotant des cacahuètes, et lisant les anecdotes sur Churchill, dont un cocktail portait le nom. Elle commanda un manhattan, et ouvrit le roman qu'elle était en train d'achever. Ce moment d'attente était délicieux; elle sentait l'alcool s'infiltrer dans ses veines et éprouva le même bonheur qui l'envahissait chaque fois qu'elle attendait Hadrien. Ce bonheur que deux mois de séparation n'avaient pas altéré.

Heureuse, sereine, et pourtant impatiente, elle lisait son roman, sans y prêter attention; au bout de dix lignes, elle s'apercevait qu'elle n'en avait pas lu une, préférant laisser voguer ses pensées dans une hypnose bienfaisante. Elle attendait Hadrien comme la présence d'un miroir critique, qui pût à la fois la détourner d'elle-même et l'y ramener par des chemins de traverse. Elle se promettait une soirée de plaisir, voire de bonheur, de longues conversations dans une intimité absolue, de regards silencieux et de plénitude.

Elle terminait son verre quand Hadrien entra dans la vaste salle, essoufflé.

Très chic lui aussi, il était spécialement rentré chez lui pour enfiler une veste et un pantalon gris; il ne portait qu'un T-shirt noir en dessous et des baskets de la même couleur. Ses cheveux étaient rejetés en arrière, ondulés et châtains. Ses yeux bleus lui donnaient un air slave, parfois une expression triste; on pouvait y plonger sans jamais en ressortir; enfoncés dans son visage émacié, comme si on les y avait cloués, ils avaient l'air menaçants; c'était plutôt à un fou qu'il faisait penser lorsque ses pupilles s'égaraient dans le vague; la profondeur en devenait inquiétante. Mais ce soir, ses yeux étaient rieurs, ils en acquéraient une vitalité d'une intensité nouvelle, énergique; pouvaient même être taquins, parfois obscènes. De fait, Agathe pressentait en cet être pur une obscénité qui lui plaisait. Elle était persuadée que son ancien petit catholique pratiquant deviendrait en son heure un homme de plaisir; mais le temps n'était pas encore venu; Hadrien était encore empêtré dans certaines contradictions; il n'avait pas tout à fait dissocié le sexe du péché mais recelait aussi une sensualité dont

il n'avait pas lui-même conscience. Agathe l'avait
rapidement remarqué, sans rien lui en dire ; il le
découvrirait bien assez tôt. Déjà, depuis plus de sept
ans qu'ils se connaissaient, l'enfant menu et triste,
renfermé sur lui-même, s'était transformé en un grand
jeune homme, fin et musclé ; Agathe l'aurait voulu
plus large, et le poussait à dévorer lorsqu'ils dînaient
ensemble : il mangeait moins qu'elle, et ne savait pas
boire ; des drogues, il en prenait lorsqu'on lui en proposait, un peu inconsciemment pour passer quelques
heures agréables ; dans leur milieu, la drogue était à la
fois un élément essentiel et désacralisé pour cette
même raison ; il n'en avait jamais eu peur, ni ressenti
un quelconque remords ; il avalait un acide, comme il
aurait englouti une tranche de saucisson. Mais il
n'avait jamais assimilé ce plaisir au péché, peut-être
parce que sa mère ignorait jusqu'à l'existence de ces
substances chimiques et que, dans cette mesure, ces
sensations n'existaient pas dans l'univers de l'interdit ; tant qu'elles n'entraient pas dans les catégories
assignées par cette femme amère aux différents types
de plaisir ou de vice, Hadrien se sentait libre, mais
dénué de curiosité ; si bien qu'il se refusait ce qu'il
portait en lui comme un reproche et une obsession : la
jouissance des sens, l'amour charnel. Agathe aurait
aimé l'y initier, mais c'était un domaine qu'il devait
découvrir seul ; il était persuadé au fond de lui, mais
aussi par malice, qu'il ne rencontrerait jamais cette
personne idéale qui l'ouvrirait aux plaisirs des sens
sans profaner l'amour, dont il se faisait un monde si
mystérieux.

Ce monde, Agathe le représentait. C'était elle, pensait-il, qui anéantirait ses résistances, et le mettrait sur
le chemin des autres femmes : il n'avait jamais désiré

un corps autre que celui qu'il avait tenu entre ses bras, le soir en s'endormant. De son côté, Agathe cherchait à éviter cette situation qu'ils avaient pu vivre lorsque l'innocence ignorait le remords mais qui, désormais, ne pouvait conduire à rien, sinon à rabaisser d'un cran leur fraternité idéale. Y intégrer le sexe, c'était transgresser le fantasme de l'inceste. Si elle se découvrait à Hadrien, une nuit porterait les promesses d'une vie ; et cette vie elle l'avait refusée. Il s'agissait chaque fois d'écarter cette éventualité ou cette tentation. Le plus souvent, il lui en coûtait ; car, au fond, n'était-elle pas attirée elle aussi par cette expérience ?

Lorsqu'il arriva, ils s'embrassèrent tendrement, lèvres contre lèvres, comme ils en avaient l'habitude ; depuis qu'Agathe s'était elle-même éveillée à la sensualité, leurs relations étaient indéniablement ambiguës. Dès qu'Hadrien était venu habiter chez elle, leurs nuits passées dans les bras l'un de l'autre avaient vite perdu la saveur de l'innocence pour évoluer vers quelque chose de plus incertain. Le jour où la peau d'Agathe frissonna sous la caresse de son ami, elle prit peur et se résolut à ne pas admettre plus d'intimité qu'ils n'en avaient déjà atteint. Ils continuaient à dormir ensemble, mais Agathe connaissait ses limites ; elle redescendait dans sa chambre dès que la situation devenait trop dangereuse. Au bout de quelques années, il était devenu indispensable qu'ils se séparent, au moins physiquement ; c'est alors qu'il partit. Hadrien était fait pour le plaisir amoureux. Toutefois, ce n'était pas elle qui le lui enseignerait. Elle resterait l'intouchable, parce que le cours des choses en avait décidé ainsi.

Leurs yeux brillaient de la joie de se revoir ; ils s'installèrent dans les fauteuils club du premier étage ;

Hadrien commanda un whisky; le soir tombait doucement à travers les rideaux du fumoir, un vague air de
jazz embaumait la pièce de douceur. L'envie de
s'embrasser à nouveau était si forte qu'elle arrondis-
sait leurs lèvres; Agathe était là qui veillait, derrière
son fantasme. Il sirotait son whisky, le désir lui tirail-
lait encore le corps; il souffrait de ne pouvoir l'assou-
vir, le contrôler ou seulement le réduire au silence un
instant; mais, peu à peu, la conversation l'égara sur
des voies parallèles; il baignait dans une douce
ambiance de sensualité et d'amour, et conversait dans
une sorte de fièvre sans excitation. Elle lui parlait de
lui; il ne trouvait jamais miroir plus juste que dans les
paroles d'Agathe, et l'écoutait, passionné par sa
propre personne, et la vision qu'elle pouvait en avoir;
le fait est qu'elle semblait le connaître mieux que lui-
même. Il se reposait entièrement sur ses avis qu'il
acceptait comme vérités, ravi de sa dépendance.
    Le temps s'arrêtait lorsqu'ils étaient ensemble;
Agathe avait réservé une table à L'Ébauchoir, petit
bistrot où ils avaient l'habitude de se rendre; on y
mangeait de la très bonne cuisine française; on y trouvait quelques grandes bouteilles; les patrons les
connaissaient pour les avoir vus presque heb-
domadairement à une certaine époque; depuis, ils n'y
allaient plus aussi régulièrement, mais aimaient à s'y
retrouver lorsqu'ils ne s'étaient pas vus depuis longtemps. Ils s'y dirigèrent donc à pied, dans une nuit
étoilée et paisible; la table était retenue pour dix
heures moins le quart; ils seraient en retard d'une
dizaine de minutes, mais on les connaissait; on serait
même heureux de les voir. Lorsqu'ils entrèrent dans la
petite salle, l'homme qui tenait le bar appela son frère,
patron du restaurant; on se serra la main; leur table
les attendait. Ils se sentaient chez eux.

Ils commandèrent les plats habituels : œufs en meurette pour commencer, un pavé de morue enrobé dans une tranche de lard, des purées de légumes l'accompagnant, et une bouteille de bordeaux. Agathe raconta alors le rêve qu'elle avait fait la nuit précédente et qui l'avait si vivement marquée : Estelle entrait dans sa chambre, un couteau à la main, et l'accusait de vouloir l'assassiner ; elle pleurait et saignait du nez, apparemment complètement défoncée ; Estelle s'avançait vers elle, lui prenait le bras, le garrottait, et y plantait l'aiguille d'une seringue pleine d'héroïne ; Agathe criait, se débattait, pourtant l'aiguille s'enfonçait ; elle n'y pouvait rien faire ; Estelle lui disait alors qu'elle allait enfin la rejoindre, dans ce monde autre qu'elle refusait ; Agathe luttait de toutes ses forces pour neutraliser le venin qui s'infiltrait imperturbablement dans ses veines ; Estelle lui prenait la tête à deux mains et l'embrassait, longuement. Agathe commençait à sombrer dans un profond engourdissement ; il lui semblait que le baiser était plus empoisonné encore que la substance blanche ; Victor rentrait soudain et criait à la vue du spectacle. Il se précipitait près du corps ; Agathe était devenue muette mais voyait tout ce qui se passait avec un regain de lucidité ; elle désirait le prévenir qu'Estelle était armée ; elle restait sans voix. L'autre semblait perdue, anéantie ; pourtant, au bout d'un moment de trouble, elle sortait le couteau et blessait Victor ; Agathe assistait impuissante à la scène ; le sang de Victor glissait sur la moquette et arrivait jusqu'à elle ; Estelle lui criait sa haine, et toutes les injures qui sortaient du fond de sa gorge abîmée ; elles finissaient par se battre, lorsqu'une main s'abattit sur Estelle, une autre frappa la joue d'Agathe ; elle ne savait qui était

ce justicier prétentieux qui semblait faire effet sur
Estelle. Agathe avait des idées de vengeance ; le sang
bouillait dans ses veines ; celui de Victor continuait de
couler ; Estelle partait. Agathe courait dans l'escalier
pour la rattraper ; Estelle était assise sur les marches,
en train de se piquer. Agathe s'était réveillée en sueur.

Depuis, elle ne parvenait pas à oublier son cauche-
mar. Le raconter à Hadrien lui faisait du bien ; il
connaissait Estelle, qu'il n'avait pas vue depuis
qu'elle avait sombré. Il tenta d'éclaircir le cauche-
mar ; mais rapidement changea de sujet de conversation ; tout ce qui concernait Estelle était pour le
moment douloureux ; et ils n'avaient pas envie d'obs-
curcir leur soirée de retrouvailles. Cependant, il fallait
prendre une décision rapide. Hadrien en convint et le
lui promit. On ne pouvait pas la laisser se détruire
ainsi ; il était temps d'agir.

Les plats arrivèrent au bon moment. On oublia ces
problèmes qui hantaient les nuits d'Agathe pour se
consacrer au poisson, et à la dernière aventure
d'Hadrien. Elle était amusée de ses récits, et à la fois
consternée qu'il pût mépriser avec constance et
malice toutes les filles qu'il rencontrait. Décidément,
il n'était pas encore sur la voie de l'extase.

Leurs relations avaient évolué depuis quelque
temps ou du moins s'en persuadaient-ils. Les non-dits
s'étaient dévoilés ; ils se parlaient désormais un langage de vérité ou au moins de transparence. Hadrien
se sentait libéré, ses provocations affrontaient les
résistances évidentes d'Agathe ; il savait qu'elle avait
raison de ne pas céder aux tentations et aux égarements de ses suggestions, mais la raison, dans cette
histoire, n'avait que peu de poids. La menace permanente qui planait sur leurs dîners les rendait

d'autant plus excitants; et de cette excitation ils se nourrissaient l'un comme l'autre. Ils s'étaient toujours aimés dans le danger; pourquoi ne pas continuer, quitte à ce que le danger change de nature. Au fond, cette envie était là depuis qu'Hadrien s'était installé chez elle; l'évolution de leur relation avait été une lente progression vers la prise de conscience. Mais elle désirait que rien ne change; et pour le moment rien n'avait changé, le bonheur qu'ils avaient d'être ensemble restait le même, quelle que fût sa teneur.

Ils dînèrent jusqu'à une heure du matin, faisant la fermeture du restaurant. Agathe avait décidé d'inviter Hadrien aux Bains; le voir danser pour elle seule lui plaisait; privilège proportionnel à son talent et à sa grâce dès qu'il était possédé par la musique.

Ils prirent un taxi et continuèrent leur discussion dans la voiture sans regarder Paris défiler du onzième au troisième arrondissement. Ils entrèrent aussitôt dans la boîte et s'offrirent un cocktail au bar avant d'aller danser; ils ne pouvaient plus se quitter; était-ce leur corps, était-ce leur âme, ou leur être tout entier; ils semblaient collés l'un à l'autre, comme dans la peur du siamois d'être scié en deux.

Après qu'ils eurent terminé leur verre, riant d'une aventure qu'ils avaient vécue deux ans auparavant à ce même bar, Hadrien se leva de son siège et commença à se déhancher au milieu des autres corps; Agathe le regarda un moment, lui souriant. C'est vrai qu'il était devenu séduisant; lorsqu'il dansait, une sensualité étonnante animait ses membres lentement ou plus vite, habité du rythme de la musique qu'il avait fait sien; il entrait pour ainsi dire en transe; et Agathe aimait l'observer alors qu'il sombrait dans

l'inconscience du corps, le regard vide, intérieur,
comme s'il contemplait les battements de son cœur
dans chacune de ses veines; lorsqu'ils dansaient
ensemble, la foule s'écartait pour mieux les voir; des
regards par-dessus les épaules, les buveurs observant
leurs gesticulations du bar, les autres danseurs admi-
ratifs ou jaloux. Agathe attendait encore l'instant où
elle entrerait en scène; elle préférait jouir pour le
moment du spectacle que lui offrait Hadrien, et de
l'impatience qu'elle sentait monter en elle; la fièvre la
gagnait. Finalement, elle n'y tint plus, le corps
d'Hadrien l'attirait comme un aimant; elle aussi désirait s'évader dans ces transes; à eux deux, ils
décuplaient l'hypnose, suivant leurs gestes dans un
jeu de miroir, fascinés par l'image que renvoyaient les
membres de l'autre, habités de la même passion, ou
du même plaisir. Un poison semblait couler dans leurs
veines, une unité d'extase, une fusion parfaite.

Elle était maintenant sur la piste mais n'avait pas
commencé à danser, le flux de son sang suivait la fréquence du rythme sourd; elle fut envahie progressivement de cette énergie qui lui battait dans les tempes, à
la cadence des muscles d'Hadrien; et elle fut prise de
tremblements de plus en plus violents; la musique
était entrée en elle, déjà, son esprit était en suspens;
seuls ses gestes parlaient, seuls ils exprimaient toute
l'énergie concentrée de sa personne; ils diffusèrent
alors une sensualité presque impudique; Agathe formait avec Hadrien un couple provocateur attisant le
désir, mais ils n'en savaient rien; ils avaient perdu
toute notion de ce qui les entourait, au-delà du
contrôle de soi et des autres, du regard d'autrui, du
temps et de l'espace.

Ils dansèrent ainsi, l'un contre l'autre, leurs

souffles se mêlant ; les musiques passaient, chan-
geaient, ils ne s'arrêtaient pas, infatigables, possédés
d'une volonté et d'un élan dont ils n'auraient pas la
maîtrise. Mais Agathe finit par sentir la fatigue. Elle
n'avait pas l'entraînement d'Hadrien, qui était rentré
depuis un mois. Elle alla s'asseoir, essoufflée, et
l'observa à nouveau ; elle revenait peu à peu à elle-
même, reprenant conscience de l'espace et des gens.
Elle commanda cette fois une vodka, la dernière.
Hadrien semblait loin, et pourtant elle seule pouvait le
rejoindre dans ses échappées inconscientes ; ils che-
minaient ensemble, partageant les mêmes extases, les
mêmes angoisses ; celles-ci aussi étaient de nature
inconnue ; d'où venaient-elles et de quoi parlaient-
elles ? De la mort ? Pas exactement ; leur angoisse ne
fuyait pas la mort ni ne l'affrontait, la mort était trop
crue, trop brute pour dissimuler le mystère qui les
hantait ; il s'agissait d'autre chose, d'une menace qui
habitait chacun de leurs actes ; angoisse de ne pas
vivre ce qu'il fallait vivre, de passer à côté d'eux-
mêmes, de ne jamais se trouver.

Hadrien, enfin, s'arrêta, la tête soudain lourde, la
sueur plaquant son T-shirt à son torse. Il s'avança,
hagard, vers Agathe ; elle lui sourit de ce même sourire, énigmatique et familier. Il la regardait, les yeux
extasiés et aveugles ; elle lui caressa les cheveux. Il
était encore égaré, ailleurs ; mais en sortant le froid
réveilla l'acuité de sa perception, le détourna de ses
évasions intérieures et le ramena au spectacle de la
rue. Agathe lui proposa de marcher jusque chez lui ;
elle prendrait un taxi pour rentrer. Mais Hadrien
refusa ; il tenait à la raccompagner. Il lui prit le bras et
la poussa en avant, direction rue Saint-Jacques ; l'air
s'infiltrant dans les vêtements humides glaçait leurs

torses fatigués. Il la tenait serrée contre lui, pour la
protéger de la légère brise ; elle reposait la tête sur son
épaule, des mèches encore collées à sa joue rougie. Ils
étaient trop fatigués pour faire le tour de Paris à pied,
avaient besoin de chaleur et de confort. Ils ne parlèrent pas durant tout le trajet. Prisonniers du silence,
au-delà de la parole, l'un avec l'autre, comme au
paroxysme de l'amour, et pourtant ils ne feraient
jamais l'amour. Les sensations qu'ils éprouvaient
ensemble étaient tout simplement indicibles ; elles les
liaient d'une manière plus forte qu'une nuit de plaisir,
ou qu'une vie d'amour. Finalement, ils arrivèrent en
bas de l'appartement d'Agathe. Hadrien allait-il monter ? Il interrogea Agathe du regard, avec la force de
persuasion qu'il savait y mettre ; elle acquiesça de la
tête, même si elle savait qu'elle courait des risques.
Mais Agathe avait confiance en elle ; elle avait toujours eu une maîtrise parfaite des situations, de sa vie,
de ses comportements. Rien n'échappait à sa volonté,
ni ses soirées débridées, ni ses expériences au-delà
des limites, ni ces dernières tentations, ni l'abolition
même de la volonté.

Pourtant, ce soir, elle se permit un risque supplémentaire. Ils escaladèrent les cinq étages d'un pas
lent, presque solennel. Leurs cœurs battaient de
concert ; en haut de l'escalier, Agathe eut la certitude
que rien ne se passerait, parce qu'elle l'avait décidé.
Ils avaient été emportés trop loin par le bonheur des
retrouvailles ; il fallait mettre un terme à cet emballe-
ment, taire les frissons de sa peau qui n'avaient cessé
de la tourmenter doucement. Elle ouvrit la porte et la
referma sur Hadrien ; il la prit par la taille, mais elle se
dégagea de son étreinte. Il fallait qu'il reparte sur-le-
champ. Le retenant encore, elle lui enleva son T-shirt

humide pour le remplacer par une chemise sèche de Victor. En sentant le tissu se décoller de son torse, elle ne put s'empêcher de passer la main sur la poitrine, d'en respirer l'odeur. Hadrien ferma les yeux. C'était cela la jouissance. Elle enleva sa main brutalement et jeta dans un coin le T-shirt sale ; elle prit la chemise et la boutonna lentement ; on entendait dans la pénombre leurs respirations mêlées. Hadrien se sentait défaillir ; les mains d'Agathe tremblaient. Quand elle eut fini, elle lui passa la veste grise, à tâtons, dans l'obscurité. Hadrien lui saisit le visage entre ses deux grandes mains et l'embrassa longuement, passionnément. Une fois encore, le temps s'était arrêté ; leurs corps étaient saisis du même désir absolu. Agathe, au bout d'un moment ou d'une éternité, le repoussa lentement ; il lui caressa les cheveux et s'en fut.

Lorsqu'elle se mit au lit, elle suffoquait ; son corps tremblait de fièvre, elle transpirait les yeux grands ouverts, elle regardait le plafond perdu dans l'obscurité bleue de la nuit ; elle ne pensait pas ; ce soir, Agathe avait fixé ses limites. Comment les choses avaient-elles pu tourner aussi vite, lui qu'elle connaissait depuis plus de sept ans, son frère de lait ? D'un seul coup, elle s'était retrouvée dans ses bras, s'apercevant qu'elle ne pouvait opposer aucune résistance. À vrai dire, le désir était là, depuis trop longtemps, faiblement refoulé.

De son côté, Hadrien marchait les yeux fermés, fou d'amour. Il parcourut le chemin du retour d'une traite, comme ivre. Pourtant, la route était longue du Panthéon à Clichy ; mais il aurait pu marcher toute la nuit ; son corps était rempli d'une énergie nouvelle, après la danse qui l'en avait vidé ; une énergie que seul le bonheur nourrit et rend inépuisable.

Agathe s'éveilla, sereine ; il faisait le même temps que la veille. Ses rêves l'avaient entraînée dans une ambiance chaude, heureuse, qu'elle ne pouvait quitter aussitôt. Elle n'était ni frivole ni cérébrale, mais les deux en même temps, vivait de la même âme les vies transversales qui l'assaillaient. Les amours pouvaient se juxtaposer, voire s'enrichir les unes les autres ; elle n'en éprouvait aucune contradiction ; en se réveillant, elle était là, seule dans son lit, mais habitée de tant de personnes aimées, de tant de vies, de tant de promesses, qu'elle se sentait épanouie à la seule pensée des bonheurs qui l'entouraient, qui l'attendaient, qui la constituaient. C'était ça le fait d'être, cette émotion à l'heure du réveil qui vous donne le désir de pénétrer de plain-pied cette journée, de jouir de chaque seconde, de craindre d'en perdre une pour un moment d'oubli.

8.

Elle se leva ; le soleil n'entrait pas encore dans sa chambre. Elle enfila le vieux peignoir qui traînait à côté de son lit et se dirigea vers la cuisine pour faire du café. Elle se sentait légère, et pourtant inquiète ; mais cette inquiétude la quittait rarement, même dans les moments de joie sereine ; elle la prenait pour guide au lieu de la fuir, la pourchassait avec acharnement, et parallèlement s'en nourrissait. C'est par ces compromis qu'Agathe avait pris l'habitude de maîtriser au plus haut point sa vie.

Elle prépara machinalement le café, respirant les effluves des grains fraîchement moulus ; il restait du pain dans la corbeille ; elle en coupa des tranches et les fit griller, se prépara un plateau sur lequel elle déposa du beurre salé et du miel ; installa la table marocaine devant la fenêtre. Elle alluma la radio pour écouter les infos et s'empara d'un livre. L'automne allait se rafraîchissant ; il fallait en capter les dernières bouffées de chaleur ; elle s'appuya au balcon en fer forgé pour observer la vie de la rue. À la croisée de la rue Saint-Jacques et de la rue Gay-Lussac, quelques femmes faisaient leur marché, des étudiants se diri-

geaient vers la Sorbonne. La rentrée universitaire était
bel et bien avancée ; Paris revivait ; le Luxembourg
accueillait la jeunesse comme une fourmilière ; on
venait y déjeuner d'un sandwich, les mères promenaient les enfants, les obsédés harcelaient les jeunes
filles qui en général connaissaient la chanson, les
amoureux s'abritaient à l'ombre d'un arbre, les rites
d'un jardin public fleuri et abritant des plans d'eau,
saluant George Sand et la comtesse de Ségur, la Fon-
taine Médicis qu'Agathe adorait ; tout enfant déjà, son
père l'y amenait le samedi, tandis que sa mère lui
avait raconté une bonne dizaine de fois l'histoire
d'Acis et Galatée, dont elle ne se souvenait plus trop ;
elle savait juste qu'ils avaient nourri ses rêveries. Son
imagination l'entraînait dans les allées du jardin,
tenant conversation à Verlaine, puis au Lion proche
de l'avenue de l'Observatoire ; elle connaissait le
Luxembourg par cœur ; et de sa fenêtre retrouva les
parfums d'enfance, le temps où elle allait y jouer,
tenant la main d'Antonio ; les marionnettes le
dimanche, le manège à chevaux, et les jeux dans le
sable où se débattaient les enfants. Elle devait alors se
frayer un chemin pour qu'Antonio, effrayé par les
enfants plus âgés, puisse passer avant les autres. La
plupart du temps, l'un de leurs parents les accompagnait ; mais quelle joie elle avait éprouvée le premier
jour où son père accepta de la laisser partir seule, en
lui confiant son frère ; il n'aimait pas savoir ses
enfants sans surveillance au milieu de la foule, mais il
avait toujours fait un effort contre lui-même pour leur
apprendre le véritable sens de la liberté. Il avait le
cœur serré en voyant les deux petites silhouettes
s'éloigner, main dans la main, elle, un bonnet rouge
sur la tête, lui, un bleu. Agathe pensait à son père ;

il était certainement l'être le plus exceptionnel qu'elle ait rencontré ; l'homme de la tolérance et de l'amour, de la fidélité et de la générosité. Savait-il à quel point il avait aidé à sa guérison ? Ils ne parlaient pas de cette période ; certes, il leur arrivait souvent de partager des souvenirs d'Antonio ; mais l'année qu'elle avait passée, enfermée dans un mutisme dont elle aurait pu ne jamais revenir, restait dans le silence de leur mémoire.

Agathe et son père communiquaient beaucoup par le silence ; ils se retrouvaient une fois toutes les deux semaines au moins dans un grand restaurant, seuls, et heureux comme un jeune couple. Ils discutaient alors des heures. Il ne lui parlait pas beaucoup de sa vie, sinon de son travail ; elle ne lui disait pas grand-chose non plus de la sienne, ils avaient pourtant toujours des sujets de conversation inépuisables, littéraires, historiques, psychologiques sur les êtres qu'ils connaissaient, et parfois sur eux-mêmes, dans les limites de leur pudeur réciproque. Agathe évoquait Victor, mais Hadrien tenait une place importante dans leurs conversations. Le père d'Agathe l'avait adopté comme son fils et le voyait régulièrement, puisqu'il venait dîner à la maison les soirs où lui-même y était, c'est-à-dire relativement peu. Son père comprenait tout ce qu'elle lui disait, et pressentait encore plus. Il était très important pour elle qu'il respectât ses amis ; lorsqu'elle lui avait présenté Victor, son cœur tremblait d'inquiétude ; elle scrutait son regard qui demeurait imperturbable, et ne sut rien avant de le questionner avec hésitation, paralysée par la peur qu'il ne lui avoue sa déception. Il ne lui en aurait d'ailleurs pas fait part, mais elle lisait aussi rapidement dans ses pensées qu'il voulait les déguiser.

L'épreuve avait pourtant été un succès. Son père aimait beaucoup Victor ; à vrai dire, il n'y avait pas de raison pour qu'il ne l'aimât pas ; c'était un garçon intelligent et sensible, au caractère tenace sous son voile d'indifférence ; et Victor était bon, cela, son père l'avait immédiatement décelé ; c'était pour lui la qualité la plus rare, celle qui fait les êtres d'exception. Victor était plus au fait du travail du père d'Agathe qu'Agathe elle-même ; ils pouvaient ainsi discuter des heures sans qu'elle participe à la conversation.

Il arrivait parfois qu'ils se retrouvent tous les trois chez ses parents, Victor, Hadrien et elle ; le mélange était curieux mais plutôt réussi. Elle passait alors une partie de la soirée avec sa mère et laissait les hommes entre eux ; les observer du coin de l'œil était délicieux ; les êtres les plus chers étaient alors réunis autour d'une table, ceux qui constituaient sa vie profonde, celle à laquelle elle revenait toujours, celle qui lui ressemblait le plus, celle qui l'avait faite. C'étaient pourtant des rapports complexes qui les reliaient, mais lorsqu'ils étaient ensemble, de cette manière, il lui semblait que ces trois hommes étaient réunis depuis toujours, trois déclinaisons de son amour, et pourtant trois amours absolus.

Le café était fini, et une odeur de brûlé la ramena de la contemplation de la rue à sa chambre ; elle courut vers la cuisine pour éteindre la flamme qui commençait à grandir au-dessus du grille-pain, se servit un bol de café ; dans une demi-heure, elle devrait se mettre à son bureau et éplucher une série d'articles. Elle tartina de beurre et de miel les tranches de pain trop grillées et les dégusta doucement ; c'était un moment de paix absolu. Elle avait tant travaillé l'année précédente qu'elle se laissait trois mois au moins, au début de cette année universitaire, pour jouir pleinement de la vie. Après plusieurs concours, elle pouvait s'accorder une période de répit. Il était temps qu'elle apprenne à ne rien faire ; la philosophie la passionnait, et elle aimait passer des heures à son bureau, sans conscience aucune des minutes qui défilent ; aussi ne pouvait-elle se soustraire à cet exercice quotidien, négligeant jusqu'aux exigences physiques primaires, la faim et le repos. Certes, Hadrien, Victor, la vie festive qu'elle menait lui offraient beaucoup de compensations. Mais si la solitude lui faisait défaut, lorsqu'elle en pouvait jouir, le travail s'y substituait.

Elle mit peu de temps pour se doucher et s'habiller, releva de son geste ordinaire les cheveux noirs qui retombaient par mèches, se brossa les dents, et s'installa à son bureau. Elle aimait le contact du bois vieilli qui avait la texture des mains des personnes âgées ; sombre, et marqué des taches de vie. Elle le caressa de sa paume lisse et sèche, regarda le ciel un instant, comme pour y puiser la certitude de l'immensité de son existence, et se mit à la tâche.

9.

Après avoir dîné chez les G., Victor passa chez
Azzedine qui recevait des amis maghrébins et un
Palestinien fraîchement arrivé à Paris. Sa venue était
un événement, aussi étaient-ils tous surexcités lorsque
Victor entra. Azzedine rassemblait souvent ce groupe
d'amis fortement politisés. Ils appartenaient à l'Association des Algériens de Paris qu'il avait fondée et
dont les revendications s'étendaient à l'ensemble du
monde arabe. Anciens communistes, socialistes
athées, ils étaient fortement attachés à une identité
nationale qu'ils revendiquaient avec insistance. Ils
vivaient au cœur d'un quartier dans lequel ils étaient
parfaitement intégrés et substituaient au problème de
nationalité une conscience de classe. La plupart
étaient issus de familles ouvrières, enfants français
d'immigrés de la première génération. Azzedine avait
rencontré par l'intermédiaire de Victor quelques intellectuels algériens, étudiants en Sorbonne et fils de
familles influentes. Ils permettaient d'équilibrer les
débats et d'élargir l'assise de leurs réflexions. Tout au
moins pouvaient-ils espérer être entendus dans toutes
sortes de milieux, aussi bien en Algérie qu'en France.

Victor participait souvent à leurs réunions. Il était considéré comme le Juif du groupe, garant de la tolérance qu'ils espéraient maintenir envers et contre tous. Ce rôle ne lui convenait pas tout à fait ; acquis à la cause palestinienne, il pouvait parler du sectarisme sioniste en connaissance de cause.

Azzedine avait ainsi pris la tête d'un mouvement de réflexion et d'action créé, quelques années plus tôt, par une poignée de Maghrébins qui avaient tu leurs susceptibilités nationales pour établir un consensus arabe en France. Ils voulaient poursuivre une réflexion qui dépasse les limites des problèmes d'intégration et prenne en compte, notamment, le conflit israélo-palestinien.

Passionné, le visage creusé avant l'heure, les yeux enfiévrés de volonté, Azzedine parlait avec fougue. Obsédé par son histoire, sa patrie, sa famille, il travaillait pendant la journée, étudiait l'histoire pendant ses heures libres et relisait la nuit les cours que Victor mettait à jour sur son ordinateur. Son discours séduisait tandis que son corps portait les stigmates d'une angoisse qui le dévorait : maigre, anguleux, la peau mate, le nez aquilin, une tension l'habitait en permanence.

Victor le connaissait depuis qu'ils étaient enfants ; ayant fréquenté la même école du dix-huitième arrondissement, ils s'étaient aussitôt pris de sympathie. Depuis, ils ne s'étaient pas quittés, l'un se destinant à l'action, l'autre à la réflexion. Quand l'un était chassé de chez lui, l'autre l'hébergeait. En conflit permanent avec son père, Azzedine refusait fréquemment de rentrer. Pourtant, il aimait ce vieil homme qui supportait sans mot dire une misère qui, lui, le révoltait. Ses parents avait accepté l'humiliation quotidienne

comme une épreuve méritée; ils n'étaient jamais
retournés en Algérie depuis la décolonisation mais s'y
sentaient secrètement attachés; le dire aurait été trahir
une vie; son père préférait le silence. Azzedine le
soupçonnait d'avoir pris part aux manifestations de
Charonne et d'avoir milité dans un mouvement de
résistance algérien. De cela, pas un mot en famille. Un
secret pesait sur ces consciences aveuglées par le
refoulement. La force de l'oubli volontaire restait
pour lui une énigme, une blessure. Aussi s'appli-
quait-il à la conjurer.

Victor avait été son premier ami français, il était
son seul ami véritable.

Rafik venait d'arriver de Gaza; tous écoutaient son
récit, la gorge nouée. Il éveillait, chez les uns, une
haine à peine refoulée, celle que provoquent l'injustice et son impunité, consacrée par un ordre mondial,
une confusion historique, une mauvaise conscience
européenne; par conséquent, une injustice quasi
indéracinable. Chez les autres, c'était un esprit de
vengeance plus réfléchi, directement converti en
réflexion politique; enfin il y avait ceux, parmi lesquels Victor aurait pu compter Agathe si elle avait été
là, qui ne supportaient pas cette éternelle répétition
des crimes, ce mépris des hommes, cette violence bes-
tiale, cette arrogance d'un État que l'on disait de droit
et qui pourtant avait légitimé la torture pour lutter
contre le terrorisme palestinien. On se rappelait des
discours de Begin, de Shamir; leur succédaient ceux
de Netanyahu; et le désespoir de ces êtres de l'autre
côté des frontières, parsemés sur des terres misérables
asséchées par les détournements d'eau au profit des
colons, crevant d'ennui, enfermés dans leur propre
pays, leurs landes décharnées, leurs îlots perdus au

cœur des terres dites israéliennes. Il était question de recommencer l'intifada; puisqu'on n'avait plus que des pierres du pays qui nous appartenait jadis, il fallait se servir des dernières armes, celles qu'on ramassait, au lieu des fruits et légumes des plantations intensives, de l'autre côté des barbelés, là où les travailleurs palestiniens se rendaient chaque jour pour faire vivre leurs familles, rentrant le soir, après avoir subi l'humiliation des passeports et de la fouille au corps. Un de leurs amis avait été pris par les soldats à lancer des pierres; on lui avait répondu par des balles; c'était à peu près l'état du rapport de forces qui régnait là-bas.

Rafik voulait repartir le plus vite possible, mais il était inquiété. Leur courant politique ne plaisait ni aux instances dirigeantes de l'OLP qui y voyaient une menace pour l'exclusivité du pouvoir, ni aux gouvernements et services secrets d'Israël, comme on pouvait s'y attendre. Aussi était-il obligé de s'exiler quelque temps en France où vivait une partie de sa famille. Son séjour serait consacré à chercher des moyens pour lutter contre la propagande pro-israélienne dont il constatait avec effarement l'omni-présence dans la presse occidentale. Azzedine n'était pas très optimiste. Les Palestiniens n'étaient pas à la mode dans les médias français et les événements tragiques qui ensanglantaient l'Algérie avaient la priorité. Azzedine s'était même demandé s'il ne devait pas se rendre à Alger, mais il n'y avait plus de famille et il n'avait pas encore bien défini le rôle qu'il pourrait y jouer. Tous éprouvaient un sentiment d'impuissance que le récit de Rafik accrut; ils étaient prêts à agir, peut-être donner leur vie, tant le dégoût, la haine et l'injustice avaient nourri en eux l'esprit d'abnégation ; pis, ils désiraient ardemment prendre à leur tour leur lot de souffrance, pour se décharger de l'impuissance qui les accablait.

Victor les observait en retrait. À les écouter, il sentait monter le besoin d'agir, mais l'éternelle question revenait alors : que faire ? En lui reprenaient le dessus les discours d'Agathe, désespérés, cyniques, qui déniait à la nature humaine une chance d'évolution. Elle ne se détournait pas du sort des victimes algériennes, des familles palestiniennes affamées et meurtries, elle estimait pourtant qu'à moins de partager leurs souffrances dans sa chair elle ne pouvait que rester extérieure à leur calvaire et se défendre contre un sentiment de culpabilité qui la condamnait aux remords stériles. Se battre pour ces hommes lui semblait vain. Elle avait choisi l'égoïsme parce que c'était sa seule sauvegarde : d'autres se protégeaient en parlant, en s'engageant dans des luttes souvent sans espoir, en se sacrifiant peut-être parce qu'il était insupportable de ne rien faire et qu'ils refusaient d'ignorer la réalité du monde qui, par hasard, les avait vus naître. Il partageait la haine de ses amis contre les exactions israéliennes mais était et demeurait juif ; aussi ne pouvait-il imaginer de s'engager dans une lutte armée contre le peuple de son père, intimement blessé par ce confit qui les concernait tous. Au fond, il ne croyait pas au prétendu égoïsme d'Agathe. Elle se contentait de fuir la souffrance qui l'habitait comme une tumeur maligne qui ronge de l'intérieur ; si elle avait été atteinte d'un mal incurable, elle aurait refusé d'entendre parler de maladie.

Elle avait trop conscience de la réalité de la mort pour en supporter l'évocation dans les discours, les articles, les images. Qu'Antonio l'ait précédée, qu'Antonio se soit substitué à elle, avait inscrit au plus intime de son être une responsabilité douloureuse et universelle à l'égard de tous ceux qui souffraient trop, et injustement. Puisqu'elle ne pouvait prendre leur place ni permettre que cette horreur cesse, elle s'était retirée du jeu et profitait du bonheur qui lui était imparti. Partager la douleur des autres n'était d'aucune utilité. La seule issue provisoire, sans doute, était de s'enfermer dans cette sphère hermétique où règnent les illusions qui permettent de vivre. Tout ce qui aide à vivre est vérité. Victor n'avait jamais réussi à se retirer du monde. Agathe était mystique, sous des dehors de théoricienne ; il était réaliste sous des apparences de rêveur. Azzedine, lui, était indéniablement courageux mais n'obéissait pas non plus à une décision mûrie. La mauvaise conscience et la honte le minaient jusque dans les méandres les plus obscurs de sa pensée. Azzedine n'avait jamais eu le choix ; il avait été poussé à la lutte par la force d'un ressentiment implacable. Peu importaient les motifs de son engagement, du moment qu'il combattait. Il frôlait souvent les frontières du fanatisme mais, chaque fois, in extremis, y échappait par la réflexion et une exigence de tolérance que Victor admirait.

La soirée fut très animée et, lorsqu'à trois heures du matin les autres s'en allèrent, Victor resta avec Azzedine pour discuter encore. Ils avaient l'habitude de ces bavardages nocturnes. Comme Azzedine travaillait toute la journée et que Victor passait souvent la nuit dehors, ils avaient décidé de se réserver deux nuits par mois pour se retrouver réellement. À ces occasions, face à son ami d'enfance, Azzedine laissait tomber ses défenses sociales et dévoilait sa vraie nature déchirée, un besoin affectif qu'il ne permettait à personne de combler. Il avait vécu une longue aventure avec une jeune Algérienne. Dévoré par ses passions politiques, il avait fini par la négliger jusqu'à ce qu'elle n'y tînt plus. Lorsqu'elle l'avait quitté, il s'était enfermé dans un vide sentimental, comme si cette partie de lui-même s'était détachée. Il souffrait de cette solitude et pour y échapper s'engageait toujours davantage dans le combat politique. Victor ne manquait jamais de lui rappeler cette vérité, mais Azzedine avait voué au silence cet aspect de sa vie. L'oubli volontaire ne l'épargnait pas ; réparer celui de son père, c'était renoncer à des combats plus intérieurs.

Jusqu'à l'aube ils avaient discuté, d'abord de politique, puis d'eux-mêmes. Victor avait évoqué Agathe. Azzedine ne comprenait pas très bien la personnalité de la jeune fille. Son apparente indifférence aux événements dont se nourrissaient les journaux, son mépris de la presse et de l'actualité cachaient pour lui un mystère au même titre que son goût ostentatoire du divertissement auquel il ne croyait pas. Aussi lui restait-elle étrangère. Pourtant au-delà de cette incompréhension, il ressentait avec justesse l'attachement passionné et parfois douloureux qui la liait à Victor.

Le lendemain, en se réveillant, Victor téléphona à Agathe. Ils convinrent de se retrouver en début de soirée. Elle viendrait le chercher chez lui et ils se rendraient ensemble à la soirée d'Alexandre. Victor ne lui posa aucune question sur son dîner avec Hadrien.

10.

Vers six heures de l'après-midi, Agathe se rendit à la piscine Jean-Taris. Là, elle retrouvait patrons de bistrot, boulangers et autres commerçants qu'elle n'aurait jamais imaginés autrement que dans leur uniforme. Elle se douchait avec eux, conversant cordialement sur les nouvelles du quartier, puis prenait congé pour plonger dans l'eau chlorée, des lunettes aux yeux, un bonnet de bain noir sur la tête. Ainsi, elle avait découvert que son marchand de journaux était un homme plutôt athlétique ou que le professeur de lettres d'Henri-IV, habillée d'un éternel tailleur gris, prenait soin elle aussi de son corps. Ces petites trouvailles réjouissaient Agathe; rien ne la détendait davantage; le silence de l'eau, la solitude de la nage, la métamorphose du corps dès qu'il se meut dans l'élément liquide, la brasse enfin qui fend le flot. Dans ce bleu artificiel Agathe aimait délasser ses membres tandis qu'elle laissait aller ses pensées. Ses muscles comme l'acuité de son attention tout à coup se relâchaient; elle pouvait alors rêver, protégée par l'hermétisme de l'eau, à l'abri du monde.

Elle avait besoin de ces longueurs de piscine avant

de s'oublier autrement dans les divertissements nocturnes ; les derniers instants de silence avant la nuit de cris et de danses. C'était la première soirée de la rentrée. Il y aurait plus de cent cinquante personnes dans le grand appartement aux couleurs vives d'Alexandre ; elle pouvait se prolonger du matin jusqu'au soir, du soir jusqu'au matin, dans la confusion des heures et des lumières ; cependant, Agathe pensait n'y rester que la nuit ; le travail, dès le lendemain, l'attendait, aussi devait-elle résister à la tentation d'abolir le temps, soutenue artificiellement par une stimulation de groupe ou de drogues. Lorsqu'elle se sentait prisonnière de l'émulation collective, son instinct l'incitait à partir aussitôt, elle lui obéissait sur-le-champ. Pourtant elle avait, à une époque, élargi les frontières des jours pour les étirer au-delà des nuits ; fêtes et jeux remplissaient ses espaces de temps sans contour. Mais les lendemains étaient gris ; la tristesse tombait comme la brume sur une mer lisse fatiguée des tempêtes – petite mort qui préfigure les grandes, simulation des fins. Les visages défaits traînaient leur nostalgie le long des semaines vides. Pour contrer l'abattement qui avait raison d'elle au petit matin sonnant le glas de la nuit, Agathe prit le parti systématique de partir sans attendre que ne s'évanouissent au rythme de la musique les énergies et les désirs.

Elle remonta chez elle pour se changer. Encore une heure devant elle, pour prendre une douche et se débarrasser de l'odeur de chlore qui l'imprégnait jusqu'aux cheveux.

Ce soir, nulle limite. Elle avait envie de s'amuser, mettre, par exemple, une tenue que la mesure, la décence, peut-être même le bon goût condamneraient. Elle finit par choisir un débardeur jaune trop petit et une jupe en peau de tigre, simple bout de tissu qui cachait ses fesses et le haut de ses cuisses. Elle enfila des collants dorés et des bottines en daim jaune, se regarda dans la glace ; ses jambes étaient coulées dans de l'or ; elle se peindrait les paupières de la même couleur. Ainsi déguisée, les voies de la métamorphose lui étaient ouvertes.

Elle prit une veste noire, son sac à dos, éteignit les lumières et sortit.

Cela faisait longtemps qu'elle n'était pas allée chez Victor, elle était attachée à ce petit studio sous les toits. Un matelas, une télé et un bureau suffisaient à le meubler. Victor y avait mis des tapis marocains qui rendaient la pièce chaleureuse ; la cuisine était une sorte de bar américain sur lequel ils dînaient, lorsqu'ils ne mangeaient pas dans le lit ; c'était une pièce confortable qu'elle aimait habiter à certaines époques et fuyait à d'autres. Lorsqu'elle y était heureuse, en sortir était une déchirure. Mais ce confort dans lequel elle se réfugiait des journées entières pouvait soudain se transformer en prison ; l'espace devenait tout à coup trop petit, étouffant ; il lui fallait le quitter pour une semaine au moins. Sa claustrophobie se calmait, et elle pouvait à nouveau rêver sous les poutres, allongée par terre devant un livre de philosophie, en écoutant *Kind of blue*. Agathe ne se rendait pas toujours compte du revirement de ses désirs ; lorsqu'elle était bien dans un endroit, elle ne pouvait plus partir, comme si elle craignait que l'atmosphère qu'elle avait réussi à créer ne s'évanouisse aussitôt. Les odeurs et les habitudes qui identifient un lieu l'y attachaient aussi fortement qu'elles l'en dégoûtaient le lendemain. La puissance de l'aliénation se transformait en rejet, et elle s'enfuyait dans l'urgence en manque d'air et de nouveauté. Elle avait fini, cependant, par ne plus céder à cette dépendance des pièces, des rues, des cafés, tout espace qui lui renvoyait une image intérieure au gré des décors anonymes ou typés. Telle chambre accueillait ses mélancolies, tel café ses songes, tel autre ses espoirs. Aussi quitter un endroit aimé était-il encore un petit arrachement exigeant d'elle une transition rapide entre deux vies, deux facettes de sa personne, deux mondes investis différemment.

Le bus arriva à Bastille ; Agathe en descendit ; les gens la regardaient dans la rue. En remontant la rue de la Roquette, elle s'arrêta chez un traiteur chinois, acheta des crevettes aigres-douces, du canard laqué, des chips et des raviolis à la vapeur, avec les sauces piquantes qui les accompagnent. Elle espéra que Victor avait acheté le vin comme prévu, paya et remonta le dernier tronçon de la rue pour tourner rue Keller ; Victor habitait tout au bout. Des enfants jouaient encore devant l'école ; elle reconnut le petit Kamara et le salua ; puis elle monta les escaliers, heureuse de retrouver ces lieux qu'il lui semblait avoir quittés depuis si longtemps. Au dernier étage, essoufflée, elle s'adossa à la porte en annonçant son arrivée ; Victor vint lui ouvrir ; elle avait les clefs mais la paresse de les chercher au fond de son sac. Il faisait chaud dans la pièce ; Victor écoutait Bill Evans ; son ordinateur était allumé ; elle avait dû l'interrompre. Mais il l'attendait et pouvait s'arrêter de travailler. Agathe l'embrassa et posa les paquets sur le bar. Il avait déjà bu la moitié d'une des bouteilles de rioja ; un verre était posé à l'intention d'Agathe, elle le remplit, s'assit sur l'un des hauts tabourets et trempa lentement les lèvres dans le liquide épais et rouge. Victor la regarda et sourit ; elle avait le visage de l'impatience. Il pressentait qu'elle allait lui échapper ce soir comme tant d'autres, en observant son sourire un peu insolent, un peu mystérieux, un peu ambigu. Ce soir, elle désirait séduire, et rien ne l'en empêcherait. Victor n'avait pas l'intention de l'en dissuader. L'indifférence, ou tout au moins sa manifestation, serait son arme la plus efficace.

Il s'occupa de faire chauffer ce qu'elle avait acheté en lui racontant les nouvelles du quartier ; le dernier petit ami de Sylvain, une sorte de jeune nazillon blond et vigoureux qui ne promettait pas plus que les autres ; le récit de Mme G. sur son retour au Mali, les problèmes de visa, les retrouvailles avec la famille qu'elle n'avait pas vue depuis dix ans. Agathe l'écoutait, pensive ; ces constellations de vie tournoyaient dans son esprit. Elle but une gorgée de vin comme pour y mettre de l'ordre et oublier le départ impromptu pour Londres que la thèse de Victor exigeait. Ils dînèrent en discutant agréablement pendant cet instant de calme irréel qui les séparait de la nuit.

À dix heures du soir, Victor se changea. Il la rejoignit, tout de noir vêtu, T-shirt, vieux pantalon de cuir et chaussures en daim à lacets ; il avait l'air tout à fait décadent, mais de ce noir se dégageait une sensualité qui attisa le désir d'Agathe ; elle se blottit contre lui, passa la main sous son T-shirt ; il lui caressait les jambes, tandis que Scolie se disputait avec Mulder pour une histoire d'extraterrestres.

Minuit arriva ; ils ne s'en étaient pas rendu compte, lovés l'un en l'autre, se chuchotant des mots incompréhensibles dans le jargon qu'ils avaient élaboré au cours des deux années de leur vie commune, chargés de références, de souvenirs, de connivences, qui les isolaient du reste du monde. Il était temps de partir.

11.

Agathe et Victor prirent le métro, descendirent aux Halles, remontèrent la rue Montorgueil et tournèrent à droite dans la rue Marie-Stuart.

Alexandre habitait dans le Marais, un grand appartement au rez-de-chaussée d'un hôtel particulier. En été, un jardin permettait de doubler le nombre des invités. L'endroit était isolé. Il avait fait ouvrir la cave pour y prolonger la soirée. Le bruit pourtant assourdissant lorsqu'on avait pénétré entre ces murs aux couleurs criardes ne s'échappait pas dans la rue, si bien qu'une autre vie commençait dès qu'on avait passé la porte d'entrée. Chaque pièce meublée par différents designers contemporains était tantôt illuminée de soleils artificiels, tantôt plongée dans une pénombre phosphorescente.

Alexandre prit Agathe entre ses bras. Il aimait bien cette petite, la trouvait vivante, audacieuse et drôle. On le voyait rarement avec une jeune fille, mais on ne savait pas non plus s'il était homosexuel. Ce soir, il était vêtu d'un pantalon rayé évasé à partir des genoux, de chaussures en cuir jaune et d'une chemise verte moulante en soie ; la peau blanche certainement poudrée, les cheveux gominés, des favoris qui rendaient son visage plus émacié encore. De haute taille, il ressemblait à ces dandys du siècle dernier, dont il cultivait l'image par goût littéraire et éthique personnelle. Architecte de formation, il vivait surtout grâce à un large héritage.

Tout ce qui était beau l'attirait : objets, femmes, garçons, appartements, livres et vêtements. Il aimait à les collectionner de manière fétichiste, ce qui exprimait son insatisfaction chronique tout en reflétant une part de son imaginaire. Victor et Agathe étaient des personnages importants de cet univers obsessionnel. Aussi son visage trahit-il l'émotion désordonnée et excessive provoquée par leur arrivée. Cette sensiblerie contrastait violemment avec l'esprit de ses fêtes.

Dans chaque pièce, une lumière différente, des musiques et ambiances opposées ; une porte donnait sur une fête disco ; on entendait un disque de Abba, Agathe reconnut Sylvain au milieu d'un groupe d'homosexuels ; les torses se frottaient les uns contre les autres ; elle crut deviner en un jeune homme blond, de cuir vêtu, son nouveau petit ami, sombrant apparemment dans un délire cocaïné ; il avait triste allure dans son uniforme sadomaso qui moulait de petites fesses creuses ; Sylvain choisissait systématiquement les hommes qu'il pouvait mépriser, comme si ça l'excitait particulièrement. Agathe continuait d'avancer, fendant la foule des danseurs ; dans la pièce voisine, de la techno rythmait les corps dévorés de l'énergie extatique et chimique avalée au début de la soirée ; il faisait sombre, une lumière blanche, irréelle, traversait la pièce et les membres, abandonnés à la transe systématique des vibrations de la musique élec-

tronique; les mouvements étaient emportés dans un
même rythme saccadé et violent qu'Agathe reçut
comme une décharge, accélérant les battements de
son cœur à la même fréquence que la basse; elle se
sentit céder à la cadence de la pièce. À quelques pas,
Victor discutait avec des jeunes filles qui l'inter-
pellaient; en général, elles étaient déjà dans un stade
avancé d'évasion vers les profondeurs des limbes; il
ne leur parlait que de loin, attendant de les rejoindre.
Agathe n'avait encore rien bu ni rien avalé; les boissons comme les drogues étaient au fond de l'appartement; peut-être Hadrien s'y trouvait-il aussi.

Elle entra dans une pièce rouge où les corps, cette
fois, avaient l'air désarticulés, elle n'aurait pu dési-
gner exactement la nature de la musique, mais elle
semblait lancer des éclairs foudroyants dans une sorte
d'incohérence physique, des parties jaunes, bleues,
rouges, de filles et de garçons, qui s'additionnaient
imparfaitement dans une reconstitution hétérodoxe
des demoiselles d'Avignon, ou de Matisse de la dernière heure; à moins qu'il ne s'agît d'un film d'Almo-
dovar; l'or de ses jambes attira les regards au cœur de
cette pièce en velours; désirait-on la dévorer ou la
démembrer? Dans la salle voisine, un ballet de
déesses indiennes aux nombreux bras la happa au
cœur de la divinité: elle en faisait manifestement partie, cachée derrière ses paupières dorées; la musique
indienne enchantait les plastiques féminines se déhan-
chant et multipliant les bras dans de grands gestes
d'oiseau; c'étaient des nymphettes qui, le pouce aux
lèvres, succédaient aux déesses dorées, dans un décor
de fleurs innocentes; elles étaient vêtues de jupes
blanches plissées; leurs chaussettes remontaient
jusqu'aux genoux; dans cette pièce, Agathe se sentit

mal à l'aise ; elle n'avait rien de la vierge prude : elle était là en hybride, moitié femme, moitié bête, et l'ingénuité qui peignait son visage n'avait rien à voir avec celle qu'exhibaient de manière provocante ces jeunes filles en fleur. Elle pressa le pas pour enfin arriver dans la dernière salle ; la musique, moins assourdissante, permettait les discussions, les marchandages ou les séductions.

Le bar était au fond. Agathe aperçut Hadrien. Il ne la voyait pas encore, discutant fougueusement avec Sophie. Elle n'avait pas revu cette dernière depuis qu'elle était rentrée. L'amitié simple et gratuite qui les liait faisait contrepoids aux relations souvent conflictuelles, tout du moins compliquées, qu'Agathe entretenait avec la plupart de ses amies. Sophie était une fille équilibrée qui n'avait besoin de personne pour mener de main ferme son existence. Elle vivait avec un homme de dix ans son aîné que sa famille désavouait. Mais c'était un vrai amour qui guidait ses choix et Agathe l'admirait pour cette indépendance. Estelle n'était pas là. Elle croisa le regard tantôt vague, tantôt aiguisé des fantômes habituels des nuits parisiennes, souriant indifféremment à l'un et à l'autre ; elle n'avait pas envie de parler ; les autres chambres l'attiraient ; la chasse africaine notamment aurait vite raison d'elle ; elle désirait aussi attirer l'attention d'Hadrien ; il semblait concentré. La discussion les animait, jusqu'à leur faire oublier l'existence des gens et les hurlements des musiques. Comment n'avait-il pas senti sa présence, cet ingrat ? Bientôt pourtant, tandis qu'elle le fixait obstinément, il tourna la tête vers la porte et l'aperçut. Sa concentration s'évanouit et son visage s'illumina. Il se détourna aussitôt de Sophie, mais c'est cette dernière qui s'approcha d'Agathe.

Elles s'embrassèrent avant de se rapprocher d'Hadrien qui les observait en sirotant une margherita.

Agathe ressentit aussitôt l'attraction physique qu'il exerçait sur elle. Pourtant, elle était arrivée conquérante, et ne voulait pas s'abandonner à la force du désir ; l'animalité reprenait le dessus ; il fallait donner forme aux obsessions latentes, aux besoins des instincts, aux revendications nocturnes, sans pour autant céder aux caprices ; retrouver l'être primitif en soi, déchaîner les refoulements imposés par une certaine police sociale ; c'était au fond cela que permettaient ces grands rassemblements où tout était permis. Étranges pratiques qui s'assimilaient aux rituels magiques des tribus primitives, transes et extases, expériences des profondeurs. Agathe avait besoin de ces manifestations pour maintenir la paix avec elle-même et abandonner sa lucidité avec facilité. Elle se servait de tout ce que la vie lui offrait pour édifier sa personne.

Elle marchait vers Hadrien. Victor était entré dans la salle ; il la vit de dos, le pas sûr, coulant, trop sensuel. Il se demandait si son existence avait réellement quelque chose à voir avec ces paradis artificiels de fuite et de plaisir. Il était obligé de reconnaître qu'il avait lui aussi besoin de ces ruptures avec le quotidien ; certes, il y avait la rue, la vie du quartier, les bières au Pause-Café, Azzedine enfin ; le reste était dévolu aux méandres de son imaginaire, mais ici il dansait, parlait, rêvait éveillé, pouvait s'allonger par terre, sur un canapé, et observer de haut, de droite à gauche, ou d'en bas, le monde mouvant qui l'effleurait.

Agathe était maintenant aux côtés d'Hadrien ; elle l'embrassa longuement, serrée dans ses bras ; Victor à nouveau tourna la tête vers eux. Ce baiser était irréel, déchirant et pourtant inéluctable. Il en connaissait la saveur, et qu'elle lui échappe en cet instant où d'autres s'exhibaient rendait son souvenir amer, sa salive sèche. Les visages s'évanouissaient, isolant dans sa plénitude le baiser de chair. Victor comprenait Hadrien, à tel point qu'il aurait pu se confondre avec lui en cet instant de partage, et, en même temps, le repoussait de tout son dégoût, de tout son amour. La jalousie s'immisça lentement. Le délire le submergea ; il lui fallait boire quelque chose ; à son tour, il se dirigea vers eux, le pas incertain, le regard vague. Arrivé à leur hauteur, il écarta d'un geste brutal Agathe pour serrer la main d'Hadrien ; un sourire étrange déformait son visage ; Victor caressa les cheveux d'Hadrien qui lui offrit sa tête ; puis il prit Agathe par la taille, et lui chuchota dans l'oreille : « À demain, mon amour. »

Elle lui sourit à son tour, effleurant le front de ses doigts. « Ne t'inquiète pas. »

Elle le vit s'éloigner à reculons, le même sourire sur les lèvres ; il fut happé par la foule. Sophie glissa une pilule dans la main d'Agathe qui se referma aussitôt pour la porter à sa bouche ; elle s'en fut à son tour sur ces rives lointaines qui démultipliaient ses possibles. Hadrien la rejoignit, incapable de rester seul dans l'autre monde, l'ancien, celui où la ville dort, les parents rêvent côte à côte et pourtant si loin, d'autres font l'amour, d'autres pleurent.

Agathe se dirigea vers la chasse africaine, croisant les jeunes filles en fleur, aux T-shirts de Walt Disney. C'était le monde de la nuit, le monde que la pensée ne pénètre pas, trop étroite, prisonnière des carcans de la logique ; monde de l'indicible ; monde de la poésie ou du silence, du corps et du rythme sans tempo, de la création en tous sens. Monde de l'absolu enfin ; la folie y a droit de cité ; c'est dans ce monde que chacun rencontre ses vraies limites.

Dans l'antichambre, Agathe vit apparaître Dimitri ; c'était la première fois qu'elle le revoyait depuis qu'ils étaient rentrés. Il paraissait plus grand et plus fort ; ses cheveux noirs avaient poussé ; la chemise blanche entrouverte et tachée portait les stigmates d'une nuit agitée, de bagarres peut-être, de danses et de filles. Les cheveux collés sur le front, les lèvres rougies par un flux de sang. Agathe se faufila à travers la foule et lui fit signe de la main. Elle s'approchait d'un pas saccadé, le corps habité par une cadence qui ne la quittait plus, tremblant et tendu, puis soudain langoureux. Dimitri fut dans ses bras ; il la serra à son tour, ému de la retrouver frêle dans son bout de tissu, les cheveux défaits sur des épaules arrondies et dorées. Il aurait voulu la briser dans son étreinte ou l'embrasser jusqu'à l'asphyxie. Elle était là, devant lui, petite princesse insolente dessinée au gré des fantasmes. Elle lui prit la main ; il lui serrait les doigts en guise de retrouvailles nocturnes. Elle fit tout à coup demi-tour et repartit au cœur des masses mouvantes pour s'y perdre. Il la suivait le long d'un tunnel qui n'en finissait pas avec l'impression diffuse de plonger au sein de ténèbres jaune et rouge, de ténèbres où la lumière change de nature ; ils avançaient. Puis il prit sur lui de la saisir par la taille et de la coller contre lui ; mais elle ne cessait d'avancer ; son corps lui échappait désespérément ; il tentait de le capturer, de le broyer, de l'avaler ; mais il fuyait toujours. Finalement, Agathe se retourna et l'embrassa ; il sentit sous sa langue une petite pilule ronde et sucrée, renversa la tête comme sous l'effet d'un poison mortel de trop de jouissance ; il atteignait le paroxysme du plaisir ; Agathe l'observait en riant ; ses dents blanches et ses lèvres entrouvertes tournoyaient dans les yeux de Dimitri ; comment y plonger quand elles bougeaient sans cesse, s'évanouissaient dans un brouillard rouge pour réapparaître, source de lumière noire. Dimitri ferma les yeux, pour les rouvrir sur le visage de son frère qui avait remplacé soudainement celui d'Agathe ; lui aussi souriait ; ils se ressemblaient toujours plus, et se perdirent dans leur image, lentement ; Agathe réapparut au bout de la dernière pièce près d'Hadrien et de Paul. Dimitri l'apercevait vaguement, mais son sourire continuait de flotter entre lui et son frère. Ils se serrèrent dans les bras l'un de l'autre sans se parler. Dimitri était entré dans leur nuit, les avait rejoints dans l'univers de fusion et de confusion où les contours s'estompent, dans l'univers du plaisir, peut-être même du bonheur, pourtant menaçant.

Agathe dansait maintenant dans une salle zébrée, où les corps se mouvaient lentement, comme au cours d'un rite initiatique, d'une danse collective, ou d'une chorégraphie mystique à laquelle quelque dieu participerait ; un meurtre se préparait peut-être, ou un hymen, une chasse, ou une métamorphose ; une ronde se formait insensiblement, et tournait en cercles de plus en plus étroits, puis s'agrandissait à nouveau, comme les battements d'un cœur écorché vif dont on verrait les pulsions cadencées expulser des jets de sang ; des corps s'effondraient, d'autres sortaient de la ronde ; la musique accélérait le rythme cardiaque ; le sol commençait à trembler ; peut-être un troupeau de bisons au loin, ou une armée de chevaux sauvages ; la cadence s'accélérait et la tension montait ; Victor, sur

le pas de la porte, observait Agathe, fasciné ; il aurait
voulu la saisir, arrêter ses tremblements, la transporter
dans une autre pièce, l'immobiliser, mais il était lui-
même anesthésié, subjugué par l'atmosphère onirique
qui régnait dans cette maison transformée en antre de
la folie et des rêves ; il la regardait se mouvoir ; elle
dégageait une vitalité menaçante, une énergie meurtrière, une sensualité dévorante ; il n'était pas seul à
l'observer ; beaucoup de regards s'étaient arrêtés sur
la danse des derniers survivants de la chasse ; ils semblaient déifiés, transmués en héros, dont ils portaient
les stigmates, incarnant le mythe de la résurrection.
Agathe avait vaincu ; elle avait dépassé les limites de
son souffle ; elle ne reviendrait pas aussitôt parmi
ceux qui avaient abandonné la partie, alourdis par le
poids de la terre et de la nostalgie ; elle avait su briser
tous les liens et s'évader dans les sphères de la transe ;
rares étaient ceux qui l'avaient suivie ; la musique
s'arrêta brusquement.

   Il était temps que Victor la prenne dans ses bras ;
elle semblait inconsciente ; mais si son regard était
fixe, comme mort, c'est qu'elle avait traversé des
mondes de lumières ; l'obscurité l'aveuglait ; le sang
coulait dans ses veines ; elle le sentait lui échapper.
Victor la serrait, pour ne pas qu'elle s'effondre ; la vue
lui revint ; elle se dégagea lentement de son étreinte,
lui souriant faiblement, et s'approcha du bar, but un
verre d'eau, avant de replonger dans les affres de la
nuit. Au loin, elle aperçut Estelle, étendue sur un
canapé, morte peut-être, dans une posture qui tout au
moins préfigurait la fin. Cette vision finit par éveiller
Agathe ; elle s'approcha d'un pas hésitant du corps
étendu, sans conscience ; personne autour d'Estelle ne
semblait inquiet de son état ; il est vrai qu'on avait fini

par s'habituer à ses chutes, ses traversées dans
l'inconscience ; mais pourquoi personne n'essayait-il
de la ressusciter ; au fur et à mesure qu'elle avançait,
Agathe avait l'impression que le corps d'Estelle
reculait ; ce n'était qu'illusion optique ou désir
inconscient ; elle redoutait de la voir dans un état de
désintégration, de lire les signes d'une mort précoce
ou d'un vice, d'une maladie, ou d'une humiliation sur
les traits de la jeune fille jadis tant aimée. Mais elle ne
pouvait non plus détourner son regard de la face blafarde dont toute vie semblait à jamais disparue.
Lorsqu'elle fut à son chevet, Estelle ouvrit faiblement
les yeux et se cacha aussitôt le visage ; Agathe lui
retira violemment la main qui tentait de le cacher et
plongea son regard dans le sien. Estelle eut la force de
lui crier :
   — Lâche-moi ; je n'ai rien à te dire, plus rien à faire
avec toi ; tu n'as aucun droit sur moi, et tu as fait assez
de mal comme ça ; va-t'en.
   — Tu es assez lâche pour m'en vouloir ; je ne suis
pas responsable de ta faiblesse, Estelle.
   Agathe se détourna de l'expression translucide et
brisée qu'un rictus morbide peignait sur son visage
mais fut prise de remords en considérant son manque
de tact. Elle n'avait pu réprimer la colère devant le
tableau abîmé de souvenirs déchus. Il fallait prévenir
Fanny dès le lendemain ; seule cette sœur cadette avait
encore le courage de l'espoir. Chancelante, elle se
dirigea vers une pièce sombre où dansait Hadrien et se
jeta dans ses bras, pour y enfouir sa tête. Il la serra
contre lui, et dansa doucement dans la pénombre pour
calmer le corps frémissant d'angoisse, de musique ou
de fatigue, de celle qui soudain se transforma en petite
fille. Dans trois jours, Victor partirait pour l'Angleterre, elle en éprouvait un soudain vertige.

12.

C'était la seconde fois que Victor se rendait à Londres pour un assez long séjour, à la British Library. Il logerait chez Helen, leur amie galeriste qui était au départ une amie d'Agathe. Elles avaient les mêmes conceptions artistiques, la même efficacité dans leurs rapports humains, leur travail et leur détente ; elles appréciaient les mêmes personnes, les mêmes fêtes, les mêmes artistes. Pourtant, elles n'étaient pas ce qu'on appelle des amies intimes. Cérébrales, fortes personnalités, attirantes, elles se ressemblaient peut-être trop pour partager la même intimité. Leur entente était intellectuelle. Victor l'appréciait de loin, sans autre curiosité, avant d'avoir eu l'occasion de la rencontrer seule, dépourvue de ses attirails sociaux, ses défenses mises à nu. Il détestait, en général, la représentation qui protège de l'authenticité et s'abritait derrière des silences qui gênaient ceux dont la parole est le masque. Helen était de ceux qui maniaient le langage à plaisir. Aussi découvrait-elle Victor chaque jour, brisant pas à pas ses derniers remparts. Elle n'avait pas l'habitude de ce type de personne ; tantôt entourée d'artistes un peu marginaux,

dépressifs ou seulement fous, tantôt de critiques
snobs, de marchands astucieux ou mafieux, elle évoluait dans un monde où la parole est reine, l'origina-
lité coutume, l'exhibition loi. La simplicité la
décontenançait ; et Victor était simple, ne jouait aucun
jeu, ne désirait pas se faire admirer ou haïr par une
audace particulière, une clownerie, une folie. Le
regard d'Helen ne le terrifiait pas. Laisser froid un
interlocuteur n'était ni dans les goûts ni dans les habitudes de la jeune femme. Il était pourtant indéniable
que la séduction d'Helen était inefficace. Victor lui
faisait perdre ses repères, et, contre toute attente, c'est
elle qui s'était laissé séduire par cette sincérité, cette
indifférence, qui faisait sa force. Lorsqu'elle s'aperçut
qu'il n'était pas besoin de déployer, pour lui, des
efforts de maquillage et de démonstration, elle changea d'attitude, exprima sans plus de retenue et de fio-
ritures ses doutes, ses joies et ses angoisses intimes.
La simplicité était une conquête, le plaisir une découverte. Elle apprit à estimer la force de l'indépendance ; Victor restait indifférent aux regards des
autres. Elle cessa, à ses côtés tout au moins, de jouer
quelque rôle que ce fût, et céda à l'amitié qui s'était
emparée d'elle. Dès qu'il venait à Londres, elle lui
prêtait le studio de la galerie, destiné à ses artistes
qu'elle expédiait alors à l'hôtel. Elle l'invitait à dîner
un soir sur deux, lui présentait ses amis. Ils prenaient
souvent leurs petits déjeuners ensemble et déjeunaient
dès qu'ils étaient libres.

Leur amitié ne s'était pas édifiée aussi rapidement.
Quelques mois plus tôt, Helen devant passer une
semaine à Paris, Victor s'était chargé d'aller la chercher à l'aéroport ; elle revenait de Chine et éprouvait
douloureusement le décalage horaire ; l'élégance

sophistiquée derrière laquelle elle s'abritait avait pâti du voyage. Ses vêtements étaient froissés ; des cernes soulignaient la fatigue de son visage aux traits tirés. Pour la première fois, Victor fut ému par une fragilité qu'il ne soupçonnait pas chez une femme d'apparence froide et lointaine.

À l'hôtel, il lui proposa de la laisser se reposer ; il reviendrait plus tard, mais, si elle avait besoin de quelque chose, elle pouvait l'appeler chez lui. Il sentait en elle une immense détresse près d'éclater. Il s'assit à son chevet, et lui demanda si au contraire elle préférait qu'il reste. Devant un geste aussi naturel, elle fondit en larmes. Il la prit dans ses bras comme une enfant. Alors elle lui confia, en un flot de paroles, son épuisement et ses déceptions, sa solitude qu'elle trompait par des voyages et comblait par des repas d'affaires, mais l'illusion ne tenait pas et la fuite avait ses limites. Victor fit en sorte qu'elle n'éprouvât aucun sentiment d'infériorité en s'épanchant ainsi. Il l'écoutait attentivement, retenant les confidences qu'elle regretterait peut-être, puis les encourageant pour la débarrasser de ce poids trop lourd qui l'accablait. Mais Helen était fière. Il fallait lui faire entendre que souffrir n'était pas humiliant, qu'elle cesse de vouloir contrôler les événements, les autres et elle-même pour chasser ses faiblesses, condamner le spontané. Si le rôle qu'elle jouait impressionnait certains, il ne lui inspirait que de la compassion. Pourquoi ne se montrait-elle pas telle qu'elle était, sans masque ni composition ? Avait-elle peur de son vrai visage ? Au bout d'un moment, c'est Victor qui parlait, tandis qu'éberluée elle l'écoutait avec attention ; cette heure de vérité fut comme un électrochoc. Victor lui fit son procès, d'un ton détaché et indifférent ; Helen se calma aussitôt. Jamais on ne lui avait assené un tel réquisitoire, mais elle n'en fut pas révoltée. Victor avait touché juste ; comment avait-il pu découvrir ce qu'elle se cachait à elle-même ? Il semblait insensible à son charme, à son jeu, à sa personne, et, sans la connaître, lui parlait d'elle comme elle seule aurait pu s'analyser ; il n'était pas artiste, aucune folie ne semblait perturber son intelligence ou ses instincts ; il avait tout simplement l'air normal, quoiqu'un peu rêveur. Devant lui pour la première fois elle se taisait ; au lieu d'éprouver de la colère, elle lui porta une immense reconnaissance. Dès lors, elle ne put se passer de Victor ; lui seul avait le privilège de ses aveux et c'est auprès de lui qu'elle apprit à se connaître.

Depuis, elle attendait impatiemment ses visites à Londres, lui téléphonait régulièrement et ne cherchait plus à lui plaire. C'est elle qui avait fait les premiers pas pour le revoir ; il n'avait pas répondu tout de suite à son appel. Après quelques semaines de silence, Victor était sorti enfin de son indifférence, convaincu par l'obstination de la jeune femme ; c'est ainsi que commença une amitié profonde et discrète. Désormais, il se rendait plus volontiers dans la capitale anglaise ; elle l'invitait sans cesse, à l'occasion d'un vernissage ou d'un dîner. Ils passaient des soirées entières à rire comme deux adolescents ivres ; il ne lui parlait pas d'Agathe.

Mais, à cette dernière, il avait fait part des relations nouvelles qui l'unissaient à Helen. Elle en fut surprise mais ne lui posa pas d'autres questions ; elle savait respecter la partie de sa vie qu'elle ne partageait pas, n'en éprouvait pas de jalousie, du moins tant qu'elle ne ressentait pas de danger. En virée à Londres, Helen et Victor aimaient hanter les lieux qui les éloignaient radicalement de leur milieu habituel ; couple anonyme au cœur de Londres, errant de restaurants en bouis-bouis inconnus, de minuscules salles de concert où s'exhibaient des chanteurs débutants en cabarets louches. Ces escapades consolidaient leur amitié en lui offrant un cadre, une odeur particulière, des souvenirs qu'ils ne souhaitaient partager avec personne.

Victor se promenait dans les rues de Londres, saisi par le froid vigoureux contre lequel il luttait en accélérant le pas, s'arrêtant devant une vitrine, laissant l'avantage à l'ennemi, puis reprenant sa marche de plus belle, jusqu'à ce que le sang fouette le bout de ses doigts. Il aimait ce temps sec et glacé qui rougissait les visages et transformait l'haleine en fumée.

13.

Le téléphone sonnait au moment où il arriva au studio. C'était Agathe. Elle semblait triste et fatiguée. En entendant sa voix lointaine et pourtant chaleureuse, la chambre lui parut vide. La chaleur de son corps lui manquait ; il éprouva l'urgent besoin de sa présence. Elle chuchotait, la voix de plus en plus enrouée, réprimant un sanglot. Estelle venait d'être hospitalisée dans un coma profond ; la dernière fois qu'elles s'étaient vues, elles s'étaient disputées avec une violence telle qu'Agathe avait pensé ne plus jamais la croiser. C'est Fanny qui l'avait appelée à l'aide ; on avait trouvé sa sœur, au petit matin d'une longue soirée noire, allongée derrière un canapé, inconsciente. Agathe ne connaissait pas les personnes qui avaient organisé la fête ; c'était dans leur appartement à moitié abandonné qu'on avait, au milieu de cadavres de bouteilles, découvert le corps de la jeune fille. Les deux sœurs avaient rendez-vous dans un café du vingtième, pour le petit déjeuner. Estelle n'arrivant pas, Fanny avait commencé à s'inquiéter. Elle était partie à sa recherche dans ces lieux glauques que sa sœur s'était mise à fréquenter. Elle avait obtenu l'adresse

de la fête par un ami d'Estelle. Fanny était partagée
entre la colère et l'inquiétude. Devant la porte
d'entrée, l'inquiétude l'avait emporté. L'escalier était
sordide et sur la porte à la peinture écaillée s'étalaient
des dessins sales et des restes d'affiches ; elle avait
frappé. Sans réponse, elle était entrée. L'air sentait le
renfermé et le mégot froid. Dans la cuisine, deux
femmes et un homme discutaient avec fièvre. Elle leur
avait demandé timidement s'ils ne connaissaient pas
une jeune fille du prénom d'Estelle. Sa question avait
provoqué un silence de mort. Une des jeunes femmes
s'était levée et l'avait accompagnée dans le salon.
Fanny tremblait. Chancelante, la femme s'était arrêtée
devant le canapé constellé de brûlures de cigarettes.
Fanny ne comprenait pas. Elle s'avança d'un pas et
mit la main devant sa bouche pour ne pas crier ;
Estelle gisait là, dans une flaque de sang ou de vomi.
Elle n'avait pu faire un pas de plus, pétrifiée ; sa
grande sœur, la jolie fille qui présidait à la table des
parents et qui découpait la dinde à Noël. Pourquoi ces
images ? Sa sœur, un lendemain de fête, un lendemain
d'enfance...

« Elle vit encore, ne vous inquiétez pas. »

Ce fut comme une décharge. Fanny avait couru
vers un téléphone et appelé le SAMU. Pourquoi
n'avaient-ils pas demandé d'aide ? Que faisaient-ils là
à discuter tandis qu'Estelle se mourait à leurs pieds ?
Ils semblaient tous les trois amorphes. Fanny les avait
abandonnés. L'action redonnait des couleurs à ses
joues ; le silence brisé, la frayeur maîtrisée, elle s'était
penchée sur le corps de sa sœur. Elle ne connaissait
pas le b.a.-ba du secourisme ; elle avait tenté de déga-
ger le bras écrasé sous le poids du buste et de la porter
sur le canapé. Alors, l'attente commença. La pensée

de ses parents la torturait. Devait-elle les prévenir, les préserver jusqu'à ce qu'un docteur ait donné un verdict ? Mais Fanny n'avait pas le courage de porter ce fardeau toute seule. Aussi avait-elle pensé à Agathe, la plus ancienne amie de sa sœur, qui serait à coup sûr efficace ; elles s'étaient tant aimées, jusqu'à ce qu'Estelle bascule.

Elle avait décroché en tremblant, composé le numéro qu'elle avait trouvé dans son calepin, en priant pour qu'il n'ait pas changé depuis. La voix d'Agathe l'avait rassurée comme par magie et de raconter la matinée dans le désordre de ses émotions. Agathe l'avait écoutée en contenant le vertige qui l'envahissait. C'était à elle de réconforter Fanny et non le contraire ; elle promit de venir la rejoindre immédiatement. Aussitôt, Fanny, éperdue, ne se contint plus ; Agathe dut éloigner l'appareil ; elle ne supportait pas ces pleurs qu'elle ne pouvait elle-même verser. Elle tenta alors de calmer la jeune fille. Une sirène se faisait entendre au loin. Elle exigea que Fanny aille demander dans quel hôpital on transportait sa sœur. Elle prendrait aussitôt un taxi pour les y rejoindre.

À l'hôpital, elle avait retrouvé Fanny, les yeux bouffis, le visage rouge. Elle était assise dans la salle d'attente, assommée par un calmant que lui avait donné une infirmière. Agathe l'avait prise dans ses bras. Fanny n'avait pas encore de nouvelles. Elle savait seulement qu'il s'agissait d'une overdose, le pouls était faible mais tenait bon, les médecins ne pouvaient pas encore se prononcer. Fanny avait supplié le personnel de l'hôpital qu'il n'appelle personne avant l'arrivée d'Agathe. Au bout d'une heure, on vint leur dire que l'état d'Estelle s'était stabilisé ; elle

avait de bonnes chances d'être sauvée. Agathe avait
décidé de prévenir les parents. Elle les connaissait
pour avoir passé de nombreux soirs chez eux et des
vacances en leur compagnie. Le père était banquier, la
mère travaillait à mi-temps dans une boîte d'informa-
tique. Fanny n'avait pas le courage de leur téléphoner ; elle avait donné le numéro de bureau de son
père à Agathe. La tâche était rude. La voix défaillante,
elle avait demandé à parler à M. N., de la part d'une
amie de sa fille. La secrétaire l'avait fait patienter, et,
aux premiers mots prononcés par le père, elle avait
compris que, depuis des mois, cet homme redoutait
un coup de fil comme celui-là. Elle l'avait rassuré
comme elle avait pu. Une heure plus tard, il était
arrivé avec sa femme, accrochés l'un à l'autre comme
deux vieilles personnes. Agathe les avait accueillis ;
les nouvelles étaient meilleures ; Estelle était sortie du
coma. Elle ne désirait pas la voir étant donné leur dernière entrevue, mais elle reviendrait dès le lendemain.
Les parents l'avaient remerciée et Fanny l'avait
embrassée tendrement. Rentrée chez elle, elle s'était
effondrée sur son lit.

C'est dans ces circonstances qu'elle avait téléphoné
à Victor qui lui manquait alors cruellement. Il écouta
en silence son récit entrecoupé de pleurs et lui proposa
de rentrer par le premier vol ; mais elle le lui interdit
aussitôt. Il lui fit promettre d'aller dormir chez ses
parents.

Elle avait scrupule à appeler son père à l'aide, mais
Victor finit par l'en convaincre. Dès qu'elle le mit au
courant de la situation, il partit aussitôt la chercher
pour la ramener à la maison ; il avait beaucoup de travail, mais ils dîneraient ensemble et elle dormirait
dans son bureau sur le canapé-lit, comme lorsqu'elle

était enfant. Alors, elle serait heureuse, l'âme en paix ;
ce soir-là aussi, elle se blottirait sous les couvertures ;
il la borderait, l'embrasserait sur le front et s'assiérait
à son bureau, le dos tourné. Elle le regarderait écrire et
fermerait doucement les yeux, se retenant de sucer
son pouce en bloquant les mains sous le coussin où
reposerait sa tête, humide de larmes anciennes.

Victor raccrocha. Il ne savait que faire. Agathe était
loin ; il aurait voulu l'aider ; mais elle n'aurait pas
accepté qu'il rentre pour cela. Il aimait bien Estelle.
Sa chute l'attristait profondément. Pourtant, il devait
sortir et faire bonne figure devant ce couple d'artistes
que voulait lui présenter Helen.

14.

La détresse d'Agathe avait dérouté un peu Victor, mais il avait confiance en sa force. Une fois expulsé ce trop-plein d'émotion avec son père, elle se ressaisirait aussitôt. Cette certitude le rassura ; il sortit du studio tendre et nostalgique.

Le temps était glacial. Victor entoura son cou d'une longue écharpe et s'en couvrit la bouche. Il faisait nuit noire. En levant la tête, on pouvait reconnaître la Grande Ourse et le W de Cassiopée ; c'était, avec le Cygne, les seules constellations qu'il connaissait. Lorsqu'il était à Londres, il se déplaçait exclusivement à pied, prenait les petites rues, créait des itinéraires dont l'illogisme était proportionnel au charme. Il aimait se perdre pour tenter ensuite de se retrouver en se perdant plus encore ; le seul inconvénient de cette technique était la difficulté de revenir sur les lieux qui lui avaient plu. Il n'avait pas un sens de l'orientation très aigu mais, grâce à son système, il avait découvert des coins de Londres inconnus, séduisants ou terrifiants. Perdre son temps dans une ville est le meilleur moyen de la pénétrer de l'intérieur, de la connaître dans son intimité, de la laisser se dévoiler, d'adapter son propre rythme à celui des rues, sans rien lui imposer et sans rien lui voler. Sortir chaque soir dans de nouveaux endroits, les boîtes branchées, les restaurants chics, mais aussi les bars obscurs, était une manière indispensable de connaître une capitale. Il fallait la pénétrer de nuit pour la sentir en soi ; et c'est ce qu'Helen permettait à Victor en l'invitant presque chaque soir ; elle était le prototype de la jeune Londonienne au cœur ou à la croisée de la vie culturelle et nocturne.

Cette fois, il allait rencontrer un couple d'artistes ; il connaissait déjà les trois autres invités ; une femme assez belle dont il n'avait jamais vu la peinture, et deux homosexuels, l'un, ancien collègue d'Helen qui avait monté sa propre galerie lors de la crise du marché de l'art ; il pensait avoir mis le doigt sur un courant encore inconnu du grand public et des collectionneurs ; Helen, quant à elle, restait relativement classique au sein de l'art moderne. Elle découvrait les valeurs sûres, et sa connaissance des marchés lui conférait une réputation de galeriste inégalée. Elle entretenait, en outre, des rapports particuliers avec ses protégés. On lui connaissait des aventures douloureuses avec des artistes psychopathes ; toutes sortes de commérages qui en faisaient une légende des milieux intellectuels londoniens, voire internationaux ; elle travaillait beaucoup avec la France, New York et la Chine. Son appartement était réputé parmi les historiens d'art comme recelant une série de chefs-d'œuvre de toutes sortes, antiquités chinoises, meubles art nouveau de la première heure, des Guimard et des Horta, mais aussi un grand nombre de créations de designers contemporains. Il était conçu pour recevoir ; Helen s'était seulement réservé une pièce où elle pouvait

laisser libre cours au désordre et à l'intimité ; sa
chambre à coucher, dans laquelle elle s'était permis
toutes les audaces : collection de petites bouteilles en
verre de Murano, des vaches noires et blanches,
qu'Helen surnommait son troupeau de vaches folles.
Des tapis du Turkistan se chevauchaient pour recou-
vrir le sol, des coussins de velours et de soie s'entas-
saient sur le lit dans un amoncellement de tissus et
de broderies vénitiennes. Helen ne pouvait dormir
que dans ce luxe ostentatoire, oriental ou byzantin,
mélange de Venise et de Turkménie, harem clos au
parfum d'ambre où le mauvais goût côtoyait le plus
grand raffinement. Ce qui aurait pu passer pour de la
préciosité s'apparentait à un cocon de soie rouge, un
capharnaüm exigu où le souvenir remplaçait l'œuvre
d'art.

Ce soir, il n'était pas question de profiter de ce
confort intime. On dînait dehors.

Victor approchait du bar où ils avaient rendez-
vous. L'odeur du feu s'annonçait par ondes incer-
taines ; il avait froid, et l'idée de cette grande cheminée le réchauffait. Certes, il lui faudrait soutenir la
conversation malgré sa morosité, mais Victor savait
parler lorsqu'il le fallait. Il aimait les rapports passagers, ces relations légères où personne n'attend rien
de l'autre ; le plaisir de converser gratuitement de
sujets intéressants. Ces dîners étaient des sortes de
danses où chaque acteur jouait son rôle à la perfection, mais où la pièce était improvisée. Une ronde de
masques chatoyants, un jeu de séduction · Victor s'y
plaisait sans s'y laisser prendre et s'en fatiguait aussi
vite. La lassitude ne l'ayant pas encore envahi, il
continuait de répondre aux invitations d'Helen.

Victor poussa la porte du bar et une bouffée de chaleur s'en dégagea, le frappant au visage. La salle était aussi bruyante qu'enfumée, des rires s'échappaient ici et là, des bières circulaient, des cocktails aussi, des bouteilles du meilleur vin ; l'endroit était plutôt chic, fréquenté par une jeunesse avertie des dernières modes, qui contribuait à établir la réputation des lieux branchés ; jeunes artistes ayant déjà trouvé des mécènes, écrivains montants, acteurs de théâtre ou de cinéma à moitié connus, scénaristes parfois déjà établis. Londres était devenu une vitrine des innovations de design, une sorte de musée à grande échelle, de foire nocturne des dernières créations, des derniers matériaux, des éclairages d'ambiances décadentes ou néo-fauves, inventions de toutes sortes tournant au kitsch, hymen de couleurs et de styles, modernisant les lignes classiques anglaises, intégrées à la vision du monde de ces jeunes architectes, souvent inconscients du conservatisme qui les menaçait.

Victor vit Helen au coin du feu, un verre à la main, debout, vêtue d'un tailleur noir en soie et d'une chemise bordeaux ; la jupe était courte et les longues jambes hissées sur des bottines en cuir noir aux talons élevés. Les cheveux bruns et lisses encadraient un visage si blanc qu'on l'aurait dit poudré, le rouge à lèvres bordeaux, lui aussi, ressortait avec agressivité. Helen était de taille moyenne, la finesse de sa peau la rendait fragile ; pourtant, son regard était dur, froid et brillant, scrutateur et sans indulgence ; c'était indéniablement une belle femme, mais qui pouvait effrayer.

Elle souriait d'une aventure que lui contait l'un des deux jeunes garçons en cuir ; une histoire de cœur avortée, qu'il tournait en dérision, vilipendant le milieu homosexuel dont il ne pouvait pourtant se

défaire. Le peintre était là, elle aussi, assise sur le
canapé rouge. Lorsque Helen leva les yeux sur Victor,
son sourire ne lui était pas adressé. Il répondait à
l'exclamation d'un homme qui, juste derrière lui,
manifestait sa joie de la retrouver « toujours si élégante ». Allant à leur rencontre, elle les présenta. Victor lui serra la main. Il avait les cheveux blancs, était
de petite taille, vêtu d'un costume en velours côtelé.
L'autre personne, une grande blonde à la corpulence
gracieuse, au visage d'une douceur maternelle, dégageait une quiétude inhabituelle chez les artistes
d'Helen. Elle lui sourit d'un air angélique qui le prit
au dépourvu ; il se sentit maladroit, décontenancé par
cette clémence soudaine ; timide, il baissa les yeux.

L'entrée en scène de cette femme avait jeté un
trouble qu'il ne pouvait s'expliquer ; il ne la trouvait
pas particulièrement belle ; elle était bien plus âgée
que lui. Pourtant, il était manifeste qu'il était perturbé.
Elle portait un prénom slave ; Victor en l'entendant la
questionna sur ses origines ; elle n'était pas polonaise
mais tchèque, ses parents avaient émigré à Londres où
elle avait grandi. D'ailleurs, si elle avait été originaire
de ce pays qu'il n'avait pas connu, cela n'aurait pas
changé grand-chose. Il cherchait une explication à son
attirance subite et plus il la traquait, plus elle lui
échappait. Peut-être évoquait-elle cette peinture de la
Renaissance italienne qu'il aimait tant : une Vierge à
l'enfant dont les arrondis du visage exprimaient
l'essence même de la douceur et de la sainteté ; une
madone droit sortie de l'Évangile.

Ils buvaient du vin autour de la cheminée, discutant
chaleureusement des dernières expositions ou des derniers talents. Victor s'était assis près de la femme
blonde, qui préférait demeurer debout, tandis qu'elle

narrait une histoire abracadabrante qui était arrivée à l'un de ses amis. Elle parlait lentement, un sourire de bonté éblouissant son visage ; sereine, ample, aucun qualificatif ne convenait à Victor pour décrire l'impression qu'elle lui faisait.

Helen riait du récit de Suzanna ; c'était son prénom ; son mari l'appelait Suza, et ces deux syllabes susurrées sortaient des lèvres comme une caresse ; Victor aurait voulu les prononcer à son tour. Il se taisait, inconscient, fasciné ; Helen s'était aperçue de son trouble et lui lançait des regards de biais. Envahi d'un lent enivrement qui anesthésiait ses facultés de pensée, il n'y répondait pas. Il ne voyait rien que ce tendre rayonnement blond et ce regard bleu. Bientôt, ils durent se lever, l'heure avançait ; ils se rendraient au restaurant à pied ; ce n'était pas loin. Helen sentait partir Victor. Une pointe de jalousie talonnait la jeune femme ; aussi, quand ils se préparèrent à sortir et qu'elle alla régler les consommations au bar, elle le poussa du coude pour qu'il la suive.

– Quelle mouche t'a piqué ? Je ne t'ai jamais vu dans un pareil état. Fais un effort.

Helen continuait à lui parler tandis qu'ils emboîtaient le pas des autres convives. Il n'entendait rien et s'enfermait dans un silence obstiné qu'Helen prenait pour un affront. Victor ne comprenait pas ce qu'il ressentait. Marchant derrière Suzanna, il se demandait si cette femme l'attirait sexuellement. Ce dont il était sûr, c'est qu'elle le séduisait par une douceur inconnue, une ingénuité qu'il n'avait encore jamais rencontrée, pas même sur un visage d'enfant. Lorsqu'elle se retourna, il lui sourit de manière si immédiate, si franche, si heureuse, qu'elle rougit sous la lumière blafarde du réverbère. Elle avança d'un pas hésitant vers eux, et se serra négligemment contre Victor. Il crut sentir la pression de son corps contre le sien et défaillit. Victor ne cherchait plus à savoir ; un bonheur immense le submergeait.

Il aurait voulu que le trajet ne s'achève jamais, mais on était déjà arrivés. Helen ouvrit la porte et la tint jusqu'à ce que tout le monde fût entré ; lorsque Victor passa devant elle, elle lui jeta un regard noir ; il ne maîtrisait plus sa voix, ni ses regards ; une seule personne retenait son attention ; il prit seulement la précaution de dissimuler le feu de ses yeux et la chaleur de ses joues, tout en s'arrangeant pour s'asseoir à côté d'elle.

Le dîner se déroula dans l'atmosphère chaude de la salle enfumée du restaurant baroque et rouge ; ses tentures de velours pourpre descendaient le long des murs noirs ; au sol, un parquet sur lequel étaient clouées des peaux de bêtes de bruns différents ; les fauteuils étaient de matériaux variés : carton, bois, fer, cuir ; leurs formes étaient anarchiques, riches et épanouies ; on s'y sentait à l'aise, entre le boudoir au parfum délicat, le fumoir anglais et le squat. Un style était créé, le mélange était plutôt réussi. Ce restaurant accueillait un milieu d'artistes reconnus ; on y rencontrait Gilbert et George, qu'aimait beaucoup et que connaissait bien Helen.

Victor n'était plus à même de réfléchir à ce qui se passait, malgré lui ; envahi d'un bien-être délicieux, il s'abandonnait à la séduction de cette femme plus tout à fait jeune, dont Helen ne comprenait pas la grâce. Elle l'observait avec insistance et sévérité ; une jalousie incontrôlable se faisait jour en elle, aussi laissait-elle échapper des piques à l'encontre de Suzanna, qui semblait ignorer ces accès incompréhensibles d'irrita-

out le monde. Seul le
il mangeait ; les deux
e diversion. Suzanna
r un surcroît de gen-
aisait qu'accroître la
ux traits tirés par la
se maîtriser, c'était

Helen, s'effrayait du
Helen, et des traits
e qui ne s'imposait
n sourire. Il compre-
fuser, et l'attirance de
tention de son regard,
au frisson de sa peau. Mais la ressentait-il parce
qu'il aurait préféré que ce jeune Français, à la carrure
imposante et aux yeux noirs, lui porte le même regard,
la même adoration ? Son amant, George, avait pris le
parti de détourner les yeux, changer aussi souvent que
possible de sujet de conversation, soutenir Helen, la
faire rire, de peur qu'elle n'éclate en une colère qui
l'aurait fait, lui, défaillir. C'était mal la connaître ;
Helen ne serait jamais sortie d'elle-même. Avouer
son trouble, c'était révéler des sentiments qu'elle
aurait voulu taire. L'effort pour les occulter exigeait
plus d'énergie que brider sa colère.

Victor aurait souhaité que jamais ne s'arrête ce
défilé d'assiettes ; il n'avait pas faim, mais le parfum
de la nourriture flattait ses narines, s'ajoutant à la présence divine et pourtant sensuelle de la madone
blonde assise à ses côtés. Il lui adressait la parole en
chuchotant ; elle lui répondait de même. Suzanna
n'était manifestement pas indifférente à l'intérêt que
lui portait ce jeune homme ; en revanche, elle était

malhabile à ce jeu et le rouge de ses joues accompagnait chaque parole prononcée qu'elle regrettait aussitôt ; Victor ne l'en aimait que plus ; progressivement, au cours de la soirée, elle put lever les yeux sur son visage et le regarder de front, les lèvres tremblantes ; lorsque leurs regards se croisèrent, ils se fuirent aussitôt pour se retrouver l'un en l'autre dans un mouvement de va-et-vient où la gêne cédait à la certitude. La timidité s'affaissa sous la passion naissante, la passion déjà là, la passion incompréhensible, ni physique ni intellectuelle, la passion de deux images qui se rencontrent, et qui se correspondent enfin, comme dans un puzzle.

Le dîner touchait à sa fin ; Victor ne savait pas bien ce qu'il disait, lui et Suzanna en étaient à leur deuxième bouteille de bordeaux. Ils ne comptaient pas les verres, ne se souciaient plus du contenu de leurs propos ; à travers les mots se disaient beaucoup d'autres choses, des promesses comme des aveux. Ils étaient bouleversés, l'un et l'autre. Bientôt, Victor proposa à Suzanna de rentrer avec lui, le plus tôt possible, et d'inventer n'importe quel prétexte pour quitter son mari. Il n'était pas dans ses habitudes de prendre les choses ainsi en main, ni dans celles de Suzanna de se jeter dans les bras du premier venu ; mais il se passait quelque chose d'inconnu, à quoi elle ne savait résister. Victor était quant à lui guidé par quelques démons intérieurs ; son corps, son désir étaient tout entiers tendus vers celle qui était assise à côté de lui ; une attirance qui ne supportait plus l'attente. Aussi, tandis qu'on buvait les cafés, Victor prétexta quelque travail et sortit de table, remerciant Helen de son invitation : elle lui lança un regard de haine. Suzanna, rendue à elle-même, éprouva cette absence comme un abandon, elle n'eut plus qu'une hâte : s'enfuir de cet endroit qui la retenait. Qu'allait-elle faire, mère de deux enfants adorés, mariée depuis longtemps à un homme si bon, soudain confrontée au doute ? Son corps épanoui et beau faiblissait sous le poids de l'hésitation. Par bonheur, Manuel leva la séance, et tous se dirigèrent vers la sortie, un peu soulagés. Helen tendit son manteau à Suzanna, sans cesser de la fixer ; l'obstination et la noirceur de ses yeux l'effrayèrent, et cette hostilité finit par la convaincre qu'Helen était la maîtresse du jeune homme rencontré quelques heures plus tôt. Il s'était donc joué d'elle.

Helen prit congé de manière brutale, et raccompagna en taxi ses deux amis. Tandis que Suzanna et son mari décidèrent de marcher un peu pour prendre l'air, dans la nuit glaciale de Londres, la jeune femme restait silencieuse, éperdue. Elle ne savait ce qui la bouleversait le plus : le fait d'avoir été ainsi bernée ou la passion honteuse dont elle avait été une proie si facile. Mais lorsque, au bout de la rue, elle vit revenir vers eux le jeune Français dont elle venait de faire la connaissance malheureuse, son émotion eut raison de ses incertitudes.

Victor, essoufflé, arriva à leur niveau, et expliqua qu'il avait oublié son écharpe au restaurant. Il s'adressait au mari, qui lui proposa de l'accompagner. Victor accepta aussitôt ; Suzanna tremblait de tous ses membres. Au bout de quelques pas, elle dit préférer rentrer chez elle. Victor, alors, lui pinça le bras ; il était prêt à tout ; la raison et le tact lui avaient tout à coup échappé. Son mari lui demanda si elle allait bien. Suzanna répéta qu'elle avait peut-être un peu trop bu, et cela, à l'intention de Victor, qui devait en déduire que la soirée était effacée, les égarements successifs mis au compte de l'alcool.

La mari héla aussitôt un taxi. Victor se proposa de la raccompagner.

— Je n'ai besoin de personne pour rentrer chez moi, dit un peu trop sèchement Suzanna.

Victor parvint à lui chuchoter :

— Je suis vraiment stupide d'avoir cru qu'une femme de votre style pourrait se fourvoyer dans les bras d'un homme de mon âge, mais vous devriez écouter plus attentivement vos instincts, ils sont peut-être plus justes que vos raisonnements ; je suis sûr que vous n'avez jamais été aussi belle.

— Vous n'avez donc aucun cœur. Voyez comme votre amie a souffert durant ce repas.

— Je n'ai aucun compte à lui rendre.

— Il m'avait semblé que vous étiez liés...

— Pas de la manière que vous croyez ; de toute façon, même si cela était, ce que je ressens à l'instant justifierait toute infidélité.

— Je tenterai de venir chez vous, tout à l'heure, mais juste pour discuter. Mon mari nous appelle.

— Je vous attendrai.

Victor avait réussi son tour de force ; rien n'aurait pu résister à la volonté qui le transportait dans un état de fièvre et d'inconscience et qui avait force de contagion.

Il rentra chez lui dans une sorte de délire qui lui fit traverser Londres, sans qu'il ait prêté attention au chemin qu'il parcourait, l'esprit emporté vers d'autres sphères. Victor marchait à grande allure, le corps échauffé et comme indifférent au froid ; le monde extérieur avait cessé d'exister, sinon pour accueillir les fantasmagories de son désir grandissant, l'immensité d'une joie qu'il ne pouvait contenir, et qui débordait de tous côtés, ses membres, sa respiration, son regard illuminé par quelque flamme intérieure, ses joues brûlantes, et le flux de son sang qui s'accélérait jusqu'à lui faire mal.

Il se sentait en harmonie avec la nuit, les astres, les lumières de la ville, qu'aucun mot ni aucun geste n'aurait pu exprimer; l'exaltation s'était emparée de la totalité de son être. À peine arrivé chez lui, il débrancha machinalement le téléphone. Il ne pensait pas tant à Agathe qu'à une possible crise existentielle de son amie Helen. Aucun miroir ne lui renvoyait son image. Heureusement! Il ne s'y serait pas reconnu. Au fond de lui, il pressentait quelque chose d'étrange, d'inconnu.

15.

Victor rangeait son appartement à la hâte et dans une excitation juvénile, absorbé par sa passion, obsédé par le sourire, le regard, le corps de cette femme au visage angélique, aux larges hanches et aux seins amples, de cette femme débordant de féminité. Victor vivait sa fascination, s'y plongeait avec le bonheur du criminel, l'innocence de l'enfant. Une évidence s'imposait à lui ; fondamentalement, Agathe lui avait toujours échappé, alors que Suzanna par sa seule présence incarnait ce qu'il avait toujours cherché et perdu à la fois ; Suzanna était une religion ; Suzanna était un création pour laquelle Michel-Ange et Raphaël se seraient unis. Victor s'effondra sur son lit ; trop de tensions, trop de bonheurs, trop d'amour enfin. Il se calma peu à peu, le regard brouillé, et parvint à allumer la chaîne ; un peu de jazz le détendrait ; mais pourquoi la pensée d'Agathe s'insinuait-elle, alors qu'il attendait Suzanna ?

Trois coups furent frappés à la porte ; des coups timides, des coups pleins d'incertitude et de remords, mais suffisamment francs pour révéler les germes d'un désir proportionnel à l'interdit. Victor se sentit

défaillir. Il semblait prisonnier d'une de ses hallucina-
tions ; celle-là avait pris la forme de Suzanna. Il avait
trouvé la figure de son désir inconscient ; expérience
unique, rencontre inouïe. Les obscurités de son être
étaient éclairées d'un trait de lumière et renaissaient
d'être ainsi éblouies. Elles auraient pu rester enfouies,
mais, au contact de cette présence, elles furent révé-
lées au jour.

Elle se tenait debout devant la porte ouverte, indécise, bouleversée ; Victor lui faisait face ; tous deux se
taisaient. Ses yeux noirs fiévreux le fixaient intensément ; elle ne put soutenir longtemps ce regard. Il lui
prit la main et la fit entrer, refermant doucement la
porte derrière elle. Elle était là, et sa présence emplissait la pièce d'une chaleur et d'une plénitude telles
qu'il se sentait réconforté, heureux, tout-puissant. Il la
débarrassa de son manteau. Ils ne s'étaient pas encore
parlé. Victor lui mit un doigt devant la bouche, prit
son visage entre ses mains, et la regarda dans le fond
des yeux.

Il l'embrassa tendrement, longuement, jusqu'à se
perdre en elle ; et elle lui répondit avec la même
ardeur. Elle tremblait un peu et combattait par un
effort intense de réflexion l'abandon progressif de son
corps. Le vertige était proche, bientôt, elle céderait.
La beauté de ce jeune homme, sa sensualité, sa déter-
mination avaient eu raison d'elle ; sa présence s'infiltrait dans tous ses membres, le flux de son sang qui
s'accélérait exprimait les pulsions rapides de son
cœur. Victor la sentait sous lui, tremblante, fragile,
apeurée, éperdue, de bonheur ou de crainte ; elle était
à lui, dans sa chambre, dans sa peau, dans son âme ;
elle était en lui, comme une obsession extérieure, intérieure, qui le cernait de toutes parts ; il était en elle,

comme un destin, comme un fantôme et une hantise. Jamais elle n'avait éprouvé pareille émotion ; ce grand corps sculpté de brun et de chair, ce regard noir, cette bouche suave, et ces cheveux en désordre.

La nuit fut sans fin et sans souffle ; ils s'aimèrent jusqu'au petit matin pour s'endormir dans les bras l'un de l'autre. La peau humide et chaude de Victor attirait magnétiquement cette femme. Jamais encore elle ne s'était sentie vivre ainsi ; jamais elle n'avait vu le monde s'ouvrir sous ses soupirs ; jamais elle n'avait caressé aussi intensément les bras d'un homme, son torse, son dos, ses reins, ses fesses ; jamais elle n'avait abandonné toute pudeur ; jamais elle n'avait habité son propre corps avec la même énergie, le même bonheur, le même accord. Et cette nuit était le commencement de beaucoup d'autres.

Victor ne fut rassasié qu'au petit matin. Suzanna était une terre inexplorée et pourtant familière, qui le ramenait à ses quêtes primordiales, auxquelles il était incapable de donner forme, parce qu'il s'y métamorphosait sans cesse.

Au réveil, il n'appartenait plus à ce monde. Victor errait dans une vapeur étrange, une musique hachée, une musique enivrante, qui l'obnubilait.

16.

Agathe, Suzanna, Agathe, Suzanna, la comptine infinie ; Victor se la chantait, silencieusement, en parcourant Piccadilly Circus. Agathe était là, qui l'observait, qui le jugeait, malgré l'exaltation de sa passion. L'aimait-elle vraiment et pourquoi ? C'est cette question qu'il se posait, le lendemain d'une nuit d'amour avec une autre, d'une nuit extraordinaire ; c'est cette question qui le paralysait, parce qu'il savait qu'il n'en avait pas fini avec lui-même, tant qu'il n'en aurait pas fini avec son Agathe maléfique, qui était autant son génie que sa mauvaise conscience. Il eut à nouveau la certitude qu'Agathe appartenait à un autre monde, Suzanna au sien.

Victor se laissait aller aux soubresauts de bonheur entrecoupés d'éclairs d'incertitude ; peu lui importait de mettre de l'ordre dans tout cela ; le temps viendrait à sa rescousse ; et il n'était pas pressé. Certes, il devrait faire bonne figure au prochain coup de téléphone d'Agathe ; il en avait même oublié qu'elle était en train de traverser une période difficile. Il s'en voulut tout à coup, mais, en même temps, qu'y pouvait-il ? S'abriter derrière l'alibi du destin était trop facile ;

il avait rencontré Suzanna par hasard ce soir-là et avait été emporté malgré lui. Victor aimait, même si le moment était mal choisi.

Agathe n'allait pas bien ; elle devait supporter seule la détresse d'Estelle, sa déchéance, la peine des parents ; mais qu'est-ce que cela avait à voir avec ce qui lui arrivait soudainement, sans crier gare ? Victor n'avait jamais souffert de la savoir seule ; elle n'était pas de celles dont on s'inquiète ou que l'on plaint. Que signifiait tout à coup ce remords inauthentique ? Agathe elle-même l'aurait aidé, s'il l'en croyait, à vivre pleinement cette passion. C'était là que se situait l'enjeu : comment vivre plusieurs vies à la fois tout en restant fidèle à soi-même ? Agathe en théorie savait conquérir ce type de victoire ; Victor doutait encore de son propre courage, de sa capacité à y parvenir ; il pressentait sa violence à vivre pleinement, sans contradiction, à vivre en aimant ; la force de ces deux amours n'avait de source qu'en lui-même. Pourtant, si Agathe l'avait entraîné sur cette voie, il doutait au fond de lui de son extrême tolérance ; accepterait-elle aussi facilement qu'elle le supposait ce que dans le langage courant on appelle l'infidélité, mais qu'elle avait décidé de débaptiser ? Agathe était jalouse quoique tolérante, possessive quoique ouverte ; ses principes de vie auraient-ils raison de ses instincts ?

Il ne voulait pas rentrer chez lui ; peut-être pour ne pas avoir à répondre au téléphone. Il devait réfléchir, seul, dans un lieu anonyme. En sortant de la bibliothèque où il n'avait pas vraiment pu travailler, il erra quelque temps dans les rues nocturnes et froides, croisant quelques fantômes çà et là, s'étonnant de leur existence, à moitié perdu dans des pensées diffuses. Au bout d'une demi-heure, il atterrit dans un bar sombre, aux murs recouverts de vieilles affiches en loques, et de signatures dont il ne reconnaissait aucun nom ; sans nul doute, il s'agissait là des vieux habitués qui avaient gravé leur mémoire d'ivrogne avant de terminer leur mélancolique existence dans quelque caniveau. Cet endroit ne correspondait pas à ses états d'âme, mais ceux-ci étaient tellement incohérents qu'ils pouvaient s'épanouir partout. Il prit une bière au bar, entouré de deux hommes d'âge moyen dans un état d'ébriété visiblement avancé.

Mais sa pensée ne pouvait se fixer longuement ; sans logique, il oscillait entre Agathe et Suzanna. Si Suzanna avait pu lui offrir cette stabilité tant recherchée qu'Agathe lui dérobait sans cesse, il en aurait été soulagé comme un immigré retrouve sa terre natale ; et il pressentait en cette femme timide la capacité de le relier enfin à une racine. Agathe était une aventurière ; lui était en quête d'une patrie. L'émotion si simple qu'il avait éprouvée au contact de Suzanna répondait à la difficulté bien dissimulée qu'il avait à vivre avec Agathe ; mais cette difficulté ne renvoyait pas pour autant à un manque d'amour ; elle représentait plutôt un avenir encombré mais inéluctable, un avenir dont Agathe seule avait le secret. Sa première bière fut rapidement terminée ; il en commanda une autre. Il était clair qu'il devait préserver ces deux relations ; le problème était d'apprendre à les concilier sans se perdre. Il se retrouvait soudain face à son propre courage et à sa capacité de vivre selon des principes aussi difficiles ; ceux-ci pourtant éclairés d'un jour plus clément. Quand il repensait à Suzanna, la gageure l'excitait plutôt. Agathe était au fond suffisamment cérébrale pour savoir que ces réflexions sur le couple étaient idéologiquement et affectivement vitales mais n'en demeuraient pas moins au stade théorique ; lui se chargerait de mettre à exécution leurs exigences ou leur folie ; qu'elle pût aimer quelqu'un d'autre était simplement insupportable. Mais l'amour rend égoïste et Victor ne se préoccupait plus de comprendre la genèse des principes de vie d'Agathe ; avaient-ils obéi à ses désirs physiques, affectifs, avaient-ils redoublé une réalité effective qu'il ne soupçonnait pas ou avaient-ils seulement été préventifs ? La question s'effaçait, il comprenait à son tour la portée de leur choix. Agathe était d'autant plus présente qu'il pouvait aimer Suzanna librement. Agathe pouvait savoir, tandis que jamais il ne pourrait expliquer quoi que ce fût à une personne aussi délicate et d'une culture si différente.

Son trouble n'atteignait pas en intensité celui de Suzanna ; cette femme romantique semblable aux héroïnes du siècle dernier était déchirée entre une réelle fidélité à son mari et à ses enfants, et cette incroyable passion à laquelle cependant elle venait de succomber. Le conflit était tel qu'elle tomba le lendemain dans un étrange état qu'on assimila d'abord à la grippe, puis à la jaunisse ; atteinte d'une langueur dont elle connaissait bien la cause, incapable d'éloigner ses pensées de celui qui troublait ses certitudes, elle oscillait du bonheur à la honte dans un désordre de larmes et de rougeurs. C'était cette pureté un peu désuète que Victor avait saisie en elle dès le premier regard, et qu'il voulait sauvegarder. Victor aimait vraiment. Avec l'arme faible et forte à la fois qu'était l'authenticité de son émotion, il avait deux femmes à conquérir.

Lorsqu'il eut achevé sa cinquième bière, il se décida à rentrer, plongé dans ses pensées et la douceur de l'anesthésie alcoolisée. Il devait être deux heures du matin et le bar était vide lorsqu'il en sortit.

Après s'être perdu comme à son habitude dans différents quartiers de Londres, Victor parvint au carrefour sur lequel débouchait la petite rue où il habitait. Nulle âme qui vive ; rares en effet étaient les habitations ; dans son immeuble, il lui semblait être le seul locataire. Il ouvrit la porte doucement ; seul avec le désir de tenir à nouveau contre lui ce corps opulent de femme, il se remémora chaque instant de la nuit précédente, les déployant dans l'espace de ses rêveries.

Sur le répondeur nul message. Agathe n'avait pas appelé et il en fut soulagé. En revanche, qu'Helen n'ait pas donné signe de vie l'inquiéta davantage, ou plus exactement le conforta dans ses pressentiments. Elle était blessée, jalouse.

Helen souffrait. Agathe souffrirait inévitablement, malgré ses conceptions et ses principes, malgré sa capacité de réflexion et de tolérance ; elle souffrirait parce que nul n'est indifférent à ce qu'on ne peut s'empêcher de considérer comme un abandon partiel. Victor savait au fond que, plus qu'une autre, Agathe était sensible.

Mais il n'était pas temps de penser à toutes ces complications ; il s'agissait désormais de gérer une situation à laquelle il ne voulait rien changer. La fatigue le sauva d'artificielles tergiversations ; il s'allongea sur son lit tout habillé, et s'endormit d'une traite dans un sommeil noir.

Le lendemain, la pensée d'Helen l'éveilla ; il avait dû rêver de son regard assassin. Comment l'accueillerait-elle aujourd'hui, lorsqu'il descendrait à la galerie

pour la voir ? Le pressentiment d'une rupture ne le
quitta pas de toute la journée, entre son travail intense
sur les statistiques de l'émigration juive polonaise en
Israël, ses rêveries érotiques, et le déjeuner léger qu'il
prit en lisant un article photocopié à la bibliothèque
de la British Library. Helen apparaissait par inter-
mittence dans ses pensées déjà saturées ; aussi décida-
t-il de quitter son bureau au cours de l'après-midi,
pour affronter celle qui s'était transformée deux jours
plus tôt en furie.

Victor ouvrit la porte du studio, écoutant les bruits
de l'escalier : personne. Était-ce bien la peine de lui
rendre visite aussi tôt ? Il n'avait pas d'autre choix que
de lui manifester l'indéfectible amitié qu'il lui vouait,
une amitié qu'il ne pouvait laisser dériver vers un
autre sentiment.

17.

Devant la porte de la galerie qui donnait sur la cour, Victor hésita une dernière fois ; pourtant, il était décidé à y aller ; il redoutait la radicalité d'Helen ; la brutalité de ses propos pouvait l'emporter au-delà de ses intentions ; elle était capable de mettre un terme à leur relation amicale avec la mauvaise foi d'une fierté blessée.

Lorsqu'il ouvrit la porte, le son de sa voix le prit à la gorge comme une bouffée d'air chaud dans le froid de l'hiver approchant ; il respirait le parfum d'Helen, s'imprégnait de sa présence qui emplissait la pièce blanche et vide. Elle était en train de décrocher la dernière exposition et en attendait une autre trois jours plus tard ; ce genre de travail ne la mettait pas forcément de bonne humeur ; la peur de casser un objet, d'abîmer un tableau, une équipe à gérer, une responsabilité et une fatigue physique qui n'étaient pas propices à la clémence. Victor le savait, mais n'avait pas le choix ; il ne devait pas attendre pour la voir, elle en aurait tiré profit. Aussi, coupant court à toutes ces réflexions, il l'interrompit tandis qu'elle était en train de réprimander un ouvrier coupable d'avoir fait tomber un carton, sans qu'il y ait pour autant de dégâts.

— Tu as l'air d'excellente humeur ! Ça tombe bien, je voulais te voir.

— C'est une habitude chez toi de déranger les gens au pire moment ? On est à la bourre, au cas où tu ne l'aurais pas remarqué. Je n'ai pas une minute à moi.

— Je suppose que depuis deux jours tu me hais, que tu me jettes des sorts. T'es chiante, Helen, vraiment chiante. Tu n'as vraiment aucune raison, et encore moins le droit de me faire ce genre de scène.

— Parce qu'en plus c'est moi qui te fais une scène ! Je ne sais pas si tu te rends compte à quel point tu as été désagréable, voire indécent, l'autre soir.

— Tu fais une montagne de ce que tu aurais à peine remarqué s'il ne s'agissait pas de moi. Combien de fois tes ploucs d'amants t'ont ridiculisée en public, mise dans l'embarras au cours d'un repas mondain, ou fait un esclandre à un vernissage ? Il ne me semble pas que ça t'ait beaucoup gênée ; alors explique-moi ce qui te prend tout à coup pour un incident aussi anodin.

— Premièrement, je ne te permets pas de traiter mes amants de ploucs. Deuxièmement, si tu voyais avec un peu de lucidité celle qui t'a fasciné toute une soirée, tu apprendrais au moins le bon goût.

— Pourquoi l'as-tu invitée si tu ne l'aimes pas ?

— Tu connais les rapports professionnels ou tu n'en as jamais entendu parler ?

— Fais-toi à l'idée que je suis capable de mener ma vie comme je l'entends et dispense-moi de tes commentaires.

— Je te remercie pour tes conseils, Victor, mais je n'en ai plus besoin.

— Une colère, ça peut durer une semaine, pas plus. J'attends ton coup de téléphone.

Il claqua la porte derrière lui. La voix d'Helen était tremblante, sa gorge nouée. Si elle avait pu le retenir, revenir en arrière, ne jamais lui avoir présenté cette mère pondeuse... Elle ferma les poings de rage. Helen recommença à crier contre l'un de ses ouvriers, son bouc émissaire.

Victor remonta lentement les escaliers ; ça aurait pu être pire ; ils avaient au moins crevé l'abcès. Helen lui reviendrait, il en était persuadé ; mais qu'avait-il brisé ? Il n'en savait rien au juste ; leurs relations ne pourraient plus être tout à fait les mêmes.

Il se remit difficilement au travail. Son attention n'arrivait pas à se fixer ; pourquoi ne laisserait-il pas libre cours à cette confusion des sentiments qui s'entrechoquaient dans le désordre de son esprit ? Les abandonner à leur flux y mettrait peut-être quelque cohérence.

18.

Victor était confronté au mystère qui l'habitait, sans qu'il pût ni en parler ni y penser. Il découvrait la plénitude, expérience indicible, impensable, incommunicable, qui l'isolait du reste du monde.

Il sortit du studio ; l'air frais lui ferait du bien. Vêtu d'un gros pull en laine et d'une écharpe grise, d'un sac à dos où il avait mis à la hâte quelques livres pour travailler dans un pub si l'envie le prenait de passer la journée dehors, il descendit, ouvrit la porte qui donnait sur la rue pavée, passa devant la galerie, jetant un œil au fond pour voir si Helen était toujours là. Exceptionnellement, elle semblait être absente.

Les ouvriers se vengeaient de sa mauvaise humeur en fumant des Craven A assis sur des caisses à moitié pleines. Victor contourna l'immeuble et se dirigea vers le centre commercial. La foule avait envahi les trottoirs. On était pourtant en milieu de semaine, mais les boutiques étaient prises d'assaut, les restaurants et les snacks bondés, les rues fourmillaient d'une population colorée et bruyante. Que se passait-il ce jour-là à Londres ? Tout à coup, il se rendait compte que la vie n'avait pas cessé tandis qu'il avait vécu tant de bouleversements ; la ville était restée telle qu'il l'avait quittée, vivante, violente, anarchique ; ainsi la vision des mères poussant leurs enfants dans des poussettes, les fillettes abordant pleines de fierté et de doute les premières années d'adolescence, les types en casquette qui déchargeaient des caisses de bière dans l'arrière-salle d'un pub, les hommes d'affaires pressés, les copines qui se retrouvent pour déjeuner et parler de leurs problèmes de couple ; c'était Londres qu'il avait connu sans le reconnaître.

Il entra dans un magasin d'alimentation, acheta quatre bouteilles de lait, du jambon, du beurre et du pain de mie, un pot de Nutella ; il était paré pour trois jours mais, après avoir payé, il se ressaisit en songeant que Suzanna pourrait bien avoir faim. Il pourrait même s'essayer à lui préparer un repas, ce qui leur permettrait de discuter un peu ; ils avaient jusque-là négligé de le faire. À vrai dire, il n'était pas sûr d'en avoir envie ; le contact physique, le silence, sa présence à des heures incongrues, à des heures volées sur l'habitude, l'onirisme de ces moments, leur caractère d'exception, conféraient à cette union naissante sa force et son privilège ; pourtant, il faudrait bien passer à un autre stade, et loger au sein de la passion la rencontre authentique de deux êtres qui ne se connaissaient pas encore. Victor voulait tout ; il désirait ce corps en son entier, mais il avait aussi besoin que ce corps parle, révèle une vie, une personne. Il choisit sur l'étalage des tagliatelles et du saumon fumé, de la crème fraîche et des escalopes qu'il savait cuisiner à la milanaise. Il ressortit du magasin, le cœur en joie ; c'était déjà un pas vers la concrétisation d'un nouveau soir de bonheur. Mais comment pourrait-il la prévenir assez tôt pour qu'elle pût se libérer à temps ? Ils étaient convenus d'un code téléphonique : laisser sonner deux fois puis rappeler aussitôt ; si le mari décrochait, il lui revenait d'inventer n'importe quel prétexte, un faux numéro, une livraison pour sa femme, un ami des enfants, en déguisant ι n peu sa voix. Il redoutait ce type d'incident et se décida néanmoins. Par chance, c'est Suzanna qui répondit ; si elle l'appelait « monsieur », c'est que son mari était à côté, ou qu'elle était dans une position gênante, empêchée de lui parler. De toute façon, leurs coups de téléphone devaient être brefs, et leurs rendez-vous rapidement pris. Ils avaient décidé de ces règles en quelques secondes, le lendemain matin de leur première et unique nuit, avant que Suzanna ne parte ; elle avait baissé les yeux en se découvrant si habile à organiser une trahison ; c'était pourtant elle qui en avait eu l'idée. Suzanna aimait, sans doute, pour la première fois.

Victor sentit son front rougir et ses mains devenir moites lorsqu'il entendit la voix sourde à l'autre bout du fil ; celle-ci tremblait, saisie par l'émotion ; il tenta de la convaincre de passer la soirée avec lui ; elle pouvait inventer n'importe quel prétexte ; elle semblait hésitante. Leurs voix en se parlant dégageaient tout au long de la ligne un bonheur silencieux, un désir tout-puissant. Au bout d'une minute, elle lui promit de le retrouver vers sept heures ; mais elle ne pourrait pas passer la nuit. Victoire ! elle serait devant lui, ce soir, d'abord timide, et puis moins, et enfin dans ses bras. Il rentra aussitôt faire un peu de ménage ; l'attente jusqu'au soir serait interminable ; il fallait qu'il s'occupe ; incapable de travailler, il se rendit au cinéma au milieu de l'après-midi, quasiment seul dans la salle, trop bouleversé pour suivre avec attention une quelconque intrigue.

Agathe ne l'avait toujours pas appelé ; il était rentré chez lui depuis près d'une heure et demie ; l'après-midi s'achevait ; l'heure approchait où il entendrait une main hésitante frapper de nouveau à sa porte ; il ne savait pas alors ce qui se passerait. En attendant, il commença à préparer le dîner. La radio donnait des nouvelles du monde ; Victor ne les écoutait que d'une oreille, fredonnant un air ancien dont il avait oublié le titre. Appellerait-elle, n'appellerait-elle pas ? De toute façon, il débrancherait le téléphone vers sept heures. Il n'avait pas pensé, dans l'innocence de la joie, à ces problèmes bassement matériels. Agathe pouvait télé-phoner au beau milieu de la soirée, et comment dissi-muler à Suzanna tout un pan de sa vie ? Il n'était pas encore habitué au mensonge, oscillait entre béatitude et crainte, attente impatiente et appréhension. Parce qu'il aimait, il serait sûr de lui, et se transformerait en menteur professionnel, en un tour de main. Ses men-songes lui étaient pour le moment vitaux, et tout ce qui est vital a quelque chose à voir avec la vérité.

Soudain des pas dans l'escalier ; ils se rappro-chaient, s'éloignaient. Victor cessa de respirer. Et si c'était Helen, prise de remords ? Helen pouvait venir ; comment avait-il pu être aussi insouciant ! Si elle trou-vait dans un studio cette femme qu'elle ne supportait pas, il aurait du mal, cette fois, à se réconcilier avec elle. Mais c'est surtout à Suzanna qu'il pensa ; si elle était prise en flagrant délit, elle ne s'en remettrait pas. Il pouvait la briser, il pouvait la perdre ; comment avait-il pu oublier qu'il n'habitait pas chez lui, que ce studio appartenait précisément à celle qui devait ignorer ses entrevues ! Décidément, il était vraiment nul en matière d'amours secrètes ; crédule, irresponsable et enfantin. Les pas se rapprochaient à nouveau. Victor se sentit défaillir ; s'il ne s'agissait pas de Suzanna, que ferait-il ? Et si Agathe elle-même s'était déplacée pour lui faire une surprise ? Cette fois, les pas étaient près de sa porte ; une main frappa, une main faible, une main hésitante. Devait-il ouvrir ? Il était prêt à tout raconter, à tout expliquer, et à tout détruire. Mais il se ressaisit ; qui que ce fût, il devait se montrer ferme. Il ouvrit la porte d'un bras tremblant ; Suzanna regardait ses pieds, les joues rosies, maladroite, immobile. Il la prit doucement dans ses bras, la serrant de toutes ses forces.

Leurs corps cessèrent de trembler. Et c'est comme deux enfants qu'ils pénétrèrent à l'intérieur de la pièce ; Victor ferma la porte. Ensemble, ils étaient prêts à braver n'importe quel danger ; ce soir était leur soir, et rien ne saurait le troubler. Dès qu'il eut prononcé les premières paroles, elle se détendit, sourit timidement, et se laissa embrasser sans autre résistance.

Ils dînèrent assis sur de larges coussins, autour d'une table de fortune ; Victor avait soigneusement préparé son effet, recouvert la planche en bois reposant sur un carton d'un tissu africain, et allumé plusieurs bougies dans le studio, d'où émanait une odeur de religiosité, d'orientalisme et d'intimité.

Suzanna mangeait avec retenue, les gestes délicats et lents ; Victor la faisait parler d'elle ; au fond, il ne savait pas qui elle était. Par bribes elle lui raconta des morceaux d'enfance, de jeunesse, mais aussi son travail, comment elle en était venue à sculpter ; elle semblait jongler avec les sujets dont elle taisait certains, privilégiant les plus anodins. La spontanéité de son récit en était altérée. Elle ne risquait rien à parler de l'émigration difficile de ses parents, leur pauvreté arrivant en Angleterre, les multiples métiers qu'ils avaient été obligés d'exercer, ses frères et sœurs qu'elle avait dû élever ; finalement, son père avait trouvé une situation stable et pourtant peu courante : tailleur de pierre pour la restauration des monuments. C'est lui qui l'avait initiée au métier de sculpteur : l'amour de la pierre, la sensualité de son toucher, la brutalité de sa taille, l'imagination qui pouvait en extraire des formes au gré du matériau. Dès son adolescence, elle s'était inscrite aux Beaux-Arts, tout en travaillant comme gardien de nuit dans les musées afin de payer ses études. La nuit, elle errait dans les salles de la Tate Gallery, rêvant devant les toiles de Turner ou de Bacon ; le jour, elle peignait, dessinait, modelait, et taillait à même le marbre. Elle était bonne élève ; mieux, elle avait du talent ; ses professeurs, qui l'avaient rapidement remarquée, l'invitèrent à les aider pour réaliser certains de leurs travaux. Elle avait aussi posé comme modèle ; mais ce métier lui avait été particulièrement désagréable : il faisait froid, elle avait sans cesse des fourmis dans les bras ou les jambes, s'endormait et s'ennuyait. Enfin, sa première exposition dans une petite galerie de Londres ; le grand événement qui, pensait-elle, la lancerait. Ce n'est que cinq ans plus tard, en rencontrant son mari, qu'elle parvint à pénétrer le monde de l'art. Victor l'écoutait : son corps entier était tendu ; sa voix le remplissait de quiétude, le berçait doucement. Cette situation lui paraissait à la fois nouvelle et ancienne ; elle lui appartenait depuis longtemps déjà. Il avait besoin de cette présence féminine, de cette femme aux gestes doux, à la voix suave, de cette vie passée, de cette maturité mêlée à une parfaite innocence ; il avait besoin de cette paix, qu'il avait cru pouvoir trouver en lui-même. Cette femme était là, et le comblait.

Tandis qu'il lui apportait le dessert, elle lui posa à son tour des questions, honteuse d'avoir trop parlé. Il raconta lui aussi son enfance, parla de son travail, sans aborder sa vie parisienne ; les êtres qu'il fit entrer dans son récit s'arrêtaient à sa stricte famille ; son père, Dimitri ; sa thèse, l'École normale supérieure qui l'avait sauvé de la maison paternelle, sa morosité à laquelle il n'avait échappé que par la rêverie et l'espoir. Il était difficile à Victor de raconter sa vie sans parler d'Agathe ; l'exclure vidait son récit de son intérêt et de sa substance. Tout ce qui lui passait par la tête sonnait faux, semblait insipide. Suzanna ne semblait pas de cet avis ; l'existence que Victor évoquait lui paraissait au contraire touchante, courageuse, riche, digne de l'être qu'elle aimait ; ses yeux brillaient d'émotion, l'émotion d'une enfant sotte et amoureuse, d'une enfant naïve et dérisoirement fascinée.

Le repas était terminé ; mais ni l'un ni l'autre ne désiraient se séparer. Ils débordèrent sur le temps qu'elle s'était accordé, s'allongeant côte à côte, remettant à plus tard la fin de leur histoire. Lorsqu'elle s'aperçut de l'heure, elle poussa un petit cri de terreur, se rhabilla à la hâte et partit en courant dans la nuit noire de Londres. Elle était heureuse et volait comme une jeune fille trop gaie dans les rues vides.

À l'heure du réveil, Victor composa le numéro de téléphone d'Agathe ; il avait beau vivre intensément, elle ne quittait pas sa pensée. Victor ne pouvait s'en défaire. Tandis qu'il émergeait laborieusement des draps noirs qui le recouvraient, il saisit d'une main sûre le combiné, composa sans y réfléchir le numéro qu'il connaissait par cœur. Lorsqu'il entendit la tonalité, il se rendit compte que c'était bien Agathe qu'il appelait, une nouvelle Agathe puisqu'elle ne connaissait plus toute sa vie, puisque, par un biais neuf, il lui échappait. Elle lui avait permis de vivre ainsi ; chaque liberté qu'il prendrait lui reviendrait au bout du compte ; de chaque infidélité, il lui serait redevable. Elle avait réussi à s'immiscer dans les secrets et les mensonges qu'il lui réservait. Suzanna n'existait que parce que Agathe était là, qui lui avait permis de la connaître et de la posséder. Le téléphone sonnait ; Victor était de plus en plus anxieux ; que dirait-il si elle décrochait ? Qu'il l'aimait ; ce mot était si juste et si faux à la fois ; il l'employait rarement, sinon pour faire court ; il aurait voulu lui expliquer ; quoi ? il ne savait pas. Qu'il aimait quelqu'un d'autre ; et alors, en quoi cela constituait-il une explication ? Et pourtant, c'était la seule qui aurait pu comprendre ; mieux que lui, certainement. Il attendait maintenant sa voix avec impatience ; cette légère brisure qui arrêtait au milieu de chaque mot la mélodie d'un chant ; il avait besoin de l'entendre, à nouveau et toujours. Depuis combien de temps n'avait-il pas capté chacune de ses intonations ? Il s'en voulait d'avoir été si négligent ; de l'avoir délaissée, elle, sa nourriture comme son origine.

Pourquoi ne répondait-elle pas ? Peut-être dormait-elle ? Était-elle sortie la veille, mais avec qui ? Un homme ? Il n'était que neuf heures ; il n'y avait pas songé ; elle aussi vivait sa vie, elle aussi voyait peut-être des amants, dormait chez eux... Une perfide jalousie s'immisça insidieusement en lui ; pourtant, il n'y croyait pas. À la sixième sonnerie, le répondeur se mit en marche. Elle n'avait donc pas décroché, mais où pouvait-elle être à cette heure ? Le message avait changé. Elle disait être partie une quinzaine de jours à la campagne, dans une maison qui n'avait pas le téléphone ; en revanche, elle interrogerait régulièrement son répondeur à distance, à partir de la cabine du village le plus proche. Victor raccrocha. Elle était donc allée chez sa tante, qui habitait à une heure trente de Paris, une vieille ferme dans laquelle elle élevait des chevaux. C'était la sœur de son père, qu'elle avait toujours beaucoup aimée, et que lui-même avait connue, lors de vacances passées à la ferme. Agathe était une excellente cavalière, et se rendait régulièrement chez sa tante, avant qu'elle ne connaisse Victor et change de vie. Pourtant elle continuait de l'appeler très souvent, et d'entretenir les rapports les plus affectueux avec celle qu'elle considérait comme sa seconde mère.

Victor comprit qu'il ne pourrait la joindre de son propre chef, et devrait attendre qu'elle prenne l'initiative. C'était sa manière à elle de garder l'avantage. Il téléphona sur-le-champ chez ses parents : peut-être seraient-ils au courant de cette décision dont elle ne lui avait pas fait part. Il réveilla ainsi la mère d'Agathe, s'excusa sans pour autant renoncer au besoin impérieux de savoir où était la jeune fille. Mme R. lui dit aussitôt, d'une voix plus cassée encore que celle de sa fille, plus chantante aussi, scandée de réminiscences latines, que cette dernière était partie avec son père, pour une semaine ou plus, dans la ferme de sa belle-sœur ; ils avaient besoin tous deux de repos et d'intimité, avaient apporté des malles de livres, et comptaient se retrouver comme ils le faisaient dans le passé : elle-même les rejoindrait pour le week-end : en attendant, Agathe avait cherché à le joindre toute la soirée, n'y était pas parvenue, mais avait laissé un message pour lui, un message laconique certes, lui signifiant qu'elle le rappellerait le plus vite possible. Elle avait aussi précisé que mettre en marche le répondeur ne serait pas un luxe dans le studio qu'il avait apparemment cessé d'habiter.

Victor souffrit soudain de ne pouvoir l'atteindre. Il n'entendrait pas sa voix pendant peut-être plus d'une semaine. L'Angleterre s'identifia à une terre étrangère. Il aurait voulu tout à coup trancher tous les liens qui l'y retenaient. Mais il n'y avait rien à faire. Si Agathe était partie à la campagne avec son père, c'est qu'elle devait en avoir besoin : besoin de solitude, de repos, de réflexion. Il lui arrivait régulièrement de ressentir l'urgence de se retrouver seule ou avec son père ; de fuir le bruit du monde qui la hantait pourtant avec tant de bonheur, les sorties, les excès, les rires et les danses, ces extrêmes qui la portaient aux frontières d'elle-même. Peut-être avait-elle besoin d'être sans lui pour se retrouver nue, dans le miroir d'une solitude sans fard, fouettée à l'air illimité des vents qui caressent les terres. Il pouvait l'imaginer dans ce décor, le nez et les joues un peu rougis par une chaleur intérieure, luttant contre les glaciales bourrasques, les mains dans les poches de son vieil imperméable, les jambes gainées dans des bottes en cuir ; marchant, comme on combat contre la brise, sans faille, avec la fermeté de la concentration, marchant comme on vole, mais aussi comme on prend racine dans une terre humide et grasse, une terre noire et forte. Il la voyait seule au milieu de ces champs, les cheveux relâchés et libres s'envolant, les yeux fixes plongés dans les méandres intérieurs. Agathe aimait sa terre. Agathe était enracinée.

Il avait besoin d'elle, il avait envie d'elle, il fallait qu'elle soit là. Et elle était loin.

Victor aimait. Il aimait deux femmes. Elles ne s'excluaient pas ; au contraire, perdre l'une aurait été renoncer à l'autre.

19.

Agathe rentrait d'une promenade à cheval de quatre
heures ; elle avait parcouru plaines, carrières et col-
lines ; sauté des obstacles, des troncs étendus à travers
le chemin, des barrières en bois peintes en blanc,
interdisant l'entrée d'une propriété privée et qu'elle
s'amusait à franchir ; des haies, des contrebas, des
contre-haut naturels, sculptés dans les heurts de la
terre, de la pierre et de la flore. Elle aimait les obstacles du règne minéral.

Les joues fraîches et les mains brûlantes, abîmées
par les rênes de caoutchouc qu'elle devait tenir fermement, montant un cheval capricieux, elle parvenait
tant bien que mal à le ramener au pas tandis qu'elle
sentait entre ses cuisses la tentation permanente du
corps musculeux et puissant de la bête de s'abandonner au galop. Elle aimait ces frissonnements d'une
peau noire et lisse, mouillée d'écume et de colère,
d'un pelage luisant à force de transpiration. Cette
menace que portait la brutalité de l'animal suscitait en
elle un vague désir, un vague plaisir ; jouer de la
révolte du pur-sang pour le dompter, piéger son illusion de liberté, asservie pourtant à la main ferme

d'une petite jeune fille qui faisait corps avec son cheval. Agathe avait cette manie inconsciente de la provocation, par laquelle elle s'identifiait elle-même à sa
monture. Prendre ainsi des risques gratuits ne laissait
pas de la séduire, et elle jouissait de ces longues promenades affrontements, dont émergeait pourtant une
fusion avec l'animal et, par son intermédiaire, avec la
nature tout entière.

Lorsqu'elle rentra à la ferme, sa tante et son père
l'attendaient pour le déjeuner. Il était déjà deux
heures ; ils commençaient à avoir faim. Agathe adorait ces repas à trois, lors desquels ils parlaient tantôt
des récents ouvrages que publiait son père, tantôt des
nouvelles de l'écurie, de la santé du poulain, celle de
la jument, des nouvelles installations, mais aussi la
récolte de colza et de blé de l'année dernière, les
prévisions météorologiques dont dépendraient les
récoltes, la qualité du vin cette année ; tout cela au
cours d'un repas de campagne, viande et légumes du
jardin, bordeaux et fromage de chèvre, roquefort et
saint-nectaire ; enfin, les pommes du verger, ainsi que
la crème anglaise, spécialité de sa tante. Elle avait toujours faim, travaillée par le grand air et les exercic s
physiques. Il lui semblait alors qu'il lui fallait rechar-
ger ses réserves d'oxygène et de muscles, de bonne
santé et d'épanouissement. Elle ne pouvait s'empêcher de passer la plus grande partie de ses journées
dehors, à faire les écuries, changer la paille des boxes,
entraîner les chevaux, marcher de longues heures,
solitaire. Lorsqu'elle rentrait, la nuit tombait.

Elle s'installait alors auprès du feu et lisait tous les
livres qu'elle n'avait pas lus, à moins qu'elle ne tra-
vaillât sur un ouvrage d'un philosophe aimé, dans la
gratuité et la quiétude que lui fournissaient ces séjours

isolés au cœur de la terre, entourée d'arbres et de ciel. Son père écrivait à ses côtés ; on entendait le bruit de sa plume rayer les feuilles de mille annotations, quelques soupirs et, tout à coup, le désir d'un verre d'eau ou d'un bout de saucisson, qu'Agathe allait chercher à la cuisine, où sa tante préparait le dîner du soir. Elle lui proposait alors de l'aider, sans grande conviction ; la sœur de son père, qui connaissait aussi bien sa nièce que son frère, lesquels se ressemblaient jusque dans les expressions et les tics de langage, les habitudes et les plaisirs, les centres d'intérêt, et les fondements éthiques, la vision d'un monde riche, d'un monde difficile, qu'ils avaient décidé de conquérir en se conquérant eux-mêmes. Cette sœur aimante dispensait généreusement la jeune fille de mettre la main à la pâte. Agathe revenait alors, avec son verre et les cinq morceaux de saucisson qu'elle avait coupés ; les déposait sur le bureau de son père, qui levait les yeux tendrement, émergeant d'une concentration hermétique à tout divertissement, et s'arrêtait une demi-heure de travailler, pour échanger quelques pensées avec sa fille, tantôt assise sur ses genoux, tantôt adossée au canapé, les bras croisés, ou caressant le crâne presque chauve du vieil homme. Il était âgé, certes, mais le plus jeune, dans ses réflexions politiques et morales, qu'elle ait jamais connu.

Le père et la fille formaient un duo inattaquable, qui pouvait terrifier aussi bien les étrangers que les membres de la famille. Leurs connivences n'avaient pas besoin de la parole ; le silence leur suffisait. Ils formaient un seul être, ainsi réunis dans cette bibliothèque où Agathe avait grandi, et qui rassemblait un nombre incalculable de Pléiade, qu'elle avait lus et relus, au terme d'après-midi de chevauchée. Son père l'avait orientée dans ses choix de lecture, ses préférences littéraires. Pourtant, jamais il ne lui avait suggéré de faire de la philosophie. C'était son choix à elle, qui la distinguait, sans pour autant opérer de ruptures. Ainsi étaient-ils devenus complémentaires ; désormais, ils étaient deux personnes différentes bien que semblables, deux personnes qui menaient une vie parallèle, une vie autonome. Mais lorsque cette vie subissait un tourment, c'est auprès de l'autre qu'ils aimaient à reprendre racine. Ils se retrouvaient l'un en l'autre, l'un avec l'autre. Jamais ils ne se sentaient aussi proches d'eux-mêmes que lorsqu'ils étaient ensemble.

Agathe rentra son cheval, le brossa quelques minutes, et revint à la maison, le pull couvert de poils noirs. Elle enleva ses bottes avant de marcher en chaussettes sur la moquette censée rester propre, et se dirigea vers la cuisine où étaient déjà attablés son père et sa tante. Une odeur de steak et de pommes de terre sautées envahit la pièce et bientôt ses narines. Elle ôta d'un geste rapide le gros pull de laine et se mit à table, piochant la patate la plus grillée dans le plat à peine entamé. Elle avait faim et soif ; ce repas dans la cuisine de son enfance, entourée d'êtres qu'elle aimait, la remplissait de bonheur. Elle s'en aperçut, et ferma les yeux une seconde pour jouir intensément et en pleine conscience de ces instants anodins, plus importants que tout autre, parce qu'ils coloraient sa vie.

Ils prirent tous les trois le café dans la bibliothèque ; la boîte de chocolats était à moitié vide sur la table. Agathe en volait un chaque fois qu'elle passait devant ; mais sa tante la laissait à portée de main pour satisfaire les tentations de ses parents gourmands. Elle avait toujours pris soin de cuisiner les plats qu'aimait sa nièce, et de lui acheter ses deux gourmandises favorites : les chocolats pralines et les calissons d'Aix. N'ayant pas elle-même d'enfants, elle gâtait démesurément celle qu'elle avait gardée toutes les vacances scolaires, et les nombreux week-ends lors desquels ses parents partaient en voyage. Cécilia était une mère d'adoption pour Agathe ; la ferme, son havre de paix, son foyer, sa source de chaleur ; mais aussi le lieu de loisirs, les courses à cheval dans la campagne, avec les autres enfants du village, qui furent ses meilleurs amis jusqu'à ce qu'elle eût atteint l'âge de quatorze ans ; Antonio, intimidé, participait parfois à leurs jeux ; Agathe s'arrangeait toujours pour qu'il eût le plus beau rôle : un roi ou un grand guerrier malade ; son asthme ne permettait pas qu'il se dépense trop ; elle devait y prendre garde, et s'assurait qu'il fût traité comme le chef, sans avoir à faire preuve d'autorité. Il se sentait alors valorisé et heureux.

Ce furent sans doute ses heures de plus grand bonheur. Lorsque sa santé était trop faible pour qu'il pût sortir, il restait à la maison, où sa tante le choyait plus que de raison. Lui aussi avait aimé ces longues heures auprès du feu, et les échappées dans la forêt habitée de rochers et de chevreuils ; les cabanes qu'ils avaient construites entre deux branches ou sous les rameaux d'un sapin, les jeux qu'ils avaient inventés tous les deux, et auxquels ne pouvaient participer les autres enfants, profanes, ces jeux qu'elle lui réservait à lui seul, parce qu'ils réalisaient certains de leurs fantasmes, que les autres n'auraient pu comprendre : prince prisonnier d'une secte, que la jeune cavalière devait délivrer ; chasses au trésor que Cécilia avait préparées en cachette, messages secrets enfouis sous la terre ou au creux d'un tronc, cassette pleine de pierres colorées et de chocolats juchée en haut d'un arbre, ou sur l'île de la rivière, qu'il fallait traverser avec la petite barque en bois menaçant de tomber en poussière, mais que l'on utilisa quand même, jusqu'à sa belle mort, au bord de l'eau, lorsqu'elle coula lentement, et qu'on tentait de la retenir tandis que les profondeurs l'appelaient. Agathe montait alors le poney blanc ; mais, lorsqu'il était harnaché, il se métamorphosait, du haut de son mètre vingt, en un étalon fougueux, qu'une fée savait dompter, à moins qu'elle ne fût la femme d'un Indien mort au combat, et qu'elle devait venger. Elle tombait toujours amoureuse du jeune homme qu'elle sauvait en luttant contre les habitants des forêts, hostiles à leur bataille pour la paix ; et ils repartaient tous deux sur la pauvre bête, qui avait pourtant l'habitude de porter le poids de deux petits corps serrés l'un contre l'autre ; ainsi, lorsque Antonio était fatigué, Agathe le faisait monter derrière elle ; il la tenait fort par la taille, anxieux mais ravi. Un peu inconsciente, elle lui faisait faire de longs galops dans la plaine et la forêt ; puis rentrait au pas, soulageant son petit poney blanc. Une fois à l'écurie, ils restaient des heures dans le box, à le brosser, le bouchonner, le caresser. Antonio était un peu peureux, mais il se sentait proche de ces animaux qu'Agathe dressait. Il aimait s'occuper d'eux, ou pleurer silencieusement, lorsqu'elle était en colère, le front contre l'encolure, la main dans la crinière.

Elle partait alors des journées entières avec ses petits camarades et le laissait seul en compagnie des bêtes fumantes, et de sa tante qui le maternait à grand renfort de friandises, et d'histoires inventées, qu'il lui demandait sans cesse, mettant à mal les dernières ressources de son imagination. Agathe rentrait alors de ses folles escapades, prête à abandonner sa bouderie. Cécilia lui faisait quelques remontrances quant à sa cruauté ; elle demandait pardon, et passait le reste de la soirée à câliner son frère, heureux au milieu de ces deux femmes aimantes. Leurs parents les rejoignaient parfois, faisant intrusion dans leur vie triangulaire. Au bout de deux jours, acceptés dans le cercle clos d'un monde recréé par les odeurs de cheval et de terre de la ferme, les parents étaient comme ensorcelés, empêchés de repartir par les cris des enfants, et les adjurations de la tante. Mais le travail les appelait ; ils promettaient de revenir. Le père d'Agathe la prenait longuement dans ses bras tandis qu'elle avait envie de pleurer ; il lui caressait doucement les cheveux, de sa grande main sèche et ridée, la regardait comme s'il n'allait jamais plus la revoir. Ces séparations étaient toujours déchirantes, préfigurant inconsciemment des séparations plus cruelles. Les parents d'Agathe avaient une conscience aiguë du temps qui passe ; l'idée de la mort les hantait en les rapprochant. Son père semblait vivre en sursis et pour cela même profitait avec une énergie incommensurable de chaque instant, de chaque personne, de chaque joie ; jamais quelqu'un n'avait su vivre aussi intensément ; jamais la mort n'avait été si présente. Et c'est cette ombre qu'Agathe oubliait à la ferme, havre d'éternité, sphère hermétique de l'enfance.

20.

Aujourd'hui, Agathe trouvait sa tante vieillie, son père plus ridé qu'autrefois, mais elle redécouvrait les mêmes odeurs, les mêmes habitudes et les mêmes bonheurs. Elle avait eu du mal à revenir après la mort d'Antonio ; deux ans avaient été nécessaires, de deuil et de renaissance. Depuis, elle y allait régulièrement, pour rendre visite à sa tante solitaire, mais dont la vie se passait au milieu des garçons de ferme, des agriculteurs et des chevaux. Cécilia semblait heureuse, même si elle ne s'était pas complètement remise de la mort de celui qui avait remplacé le fils qu'elle n'avait pas eu. C'était peut-être elle qui en avait été la plus marquée, loin des divertissements urbains, qui activent l'oubli, seule dans cette maison hantée de souvenirs, de jouets d'enfant égarés, et d'un carnet gribouillé d'une écriture maladroite, qu'elle avait retrouvé dans un des tiroirs du bureau de la chambre des enfants. Pendant longtemps, elle n'avait pas voulu l'ouvrir. Finalement, au bout de quelques mois d'hési-tation et de souffrance, elle osa déchiffrer les quelques pattes de mouche qui inscrivaient des histoires fabu-leuses, des histoires d'enfants, des rêves éveillés, un monde imaginaire et lumineux dont fermait la porte l'hermétisme de l'écriture enfantine ; ces récits, c'étaient les siens, ceux que, pendant dix ans, elle avait inventés, au fil de son imagination, lors de leurs promenades, ou avant qu'il ne s'endorme ; ce monde, c'était celui qu'elle avait édifié, sans le savoir, et qu'il avait habité, pétri d'onirisme. Lorsqu'elle reconnut ses propres inventions, elle referma le carnet bleu, et ne put pleurer. Son visage se creusa, elle maigrit, ses cheveux tournèrent au blanc ; elle était vieille.

Des années plus tard, Cécilia avait recommencé à vivre, sans pour autant guérir cette blessure secrète qui ne la quitterait pas ; les nombreuses visites d'Agathe, les séjours de son frère à la ferme, l'obligèrent à sortir d'elle-même, à monter à nouveau ses chevaux, à participer aux concours hippiques, à se compromettre avec le monde. Depuis, elle était presque redevenue la Cécilia d'avant, celle qu'aimait Agathe, et qu'elle désirait retrouver inchangée ; le cours de l'existence avait repris. Elle savait même être gaie ; mais sous la gaieté gisait une amertume.

Agathe devait téléphoner à Victor. Que faisait-il donc ? Elle avait tenté de l'appeler un nombre incalculable de fois avant de partir ; il n'était jamais là. Elle s'était finalement décidée à quitter Paris sans pouvoir le prévenir, mais espérait qu'à son tour il téléphonerait, et serait informé de son départ par le message qu'elle avait laissé sur son répondeur. Elle lui en voulait un peu de son absence prolongée ; Helen devait l'inviter presque tous les soirs pour qu'il rentrât si tard. Peut-être allait-il mal, ou éprouvait-il le besoin de prendre quelque distance. Peut-être aussi avait-il rencontré une femme qui lui plaisait.

Si elle ne parvenait pas à le joindre cette fois, alors qu'elle se déplaçait spécialement de la ferme au village, qu'il faisait froid, et qu'elle n'avait aucune envie de prendre la voiture, ni de voir ses anciens amis auxquels elle n'avait plus grand-chose à dire, elle n'essaierait plus de l'appeler durant les dix ou quinze jours qu'elle comptait rester. Peut-être lui écrirait-elle. Au volant, elle pensait à Victor. C'était la première fois qu'ils se séparaient aussi longtemps ; et il ne semblait en éprouver ni trouble ni nostalgie. Elle ne s'était jamais demandé comment elle-même le vivait ; tout allait si vite à Paris, son travail, ses amis, les sorties, Hadrien ; elle en avait oublié de penser. C'est aussi pour cela qu'elle avait éprouvé avec urgence le besoin de passer plusieurs jours chez Cécilia. Agathe n'aimait pas que sa vie la dépasse ou l'aliène ; elle se sentait rapidement étouffer ; l'appel du grand air l'avait envahie comme un manque d'oxygène violent. Dès le lendemain, elle avait convaincu son père de partir ; heureux de pouvoir passer quelques jours avec sa fille, il avait tout de suite accepté ; lui aussi était las de sa vie parisienne ; il n'avait pas mis le pied à la campagne depuis trop longtemps, et son corps s'en ressentait. Les bagages avaient été vite préparés ; ils avaient tous deux emporté des piles de livres et peu d'habits. De toute façon, les armoires à la ferme en étaient remplies ; et ils retrouvaient chaque fois des pulls oubliés ou trop petits, des pantalons démodés, ou des chaussures qu'on croyait avoir perdues. Son père était alors venu la chercher rue Saint-Jacques, ils avaient bu un café chez Agathe, avant de prendre la route dans la vieille mais fidèle Fiat. Cécilia les attendait avec impatience, et avait préparé pour le soir une quiche lorraine et un magret de canard au

miel, repas un peu anarchique, mais qui cumulait les
plats préférés du père et de la fille.

C'était aussi au volant de la Fiat qu'Agathe se rendait au village. Elle se gara devant la cabine téléphonique, espérant que la nuit la dissimulerait. Elle se
rendrait au bistrot un autre jour pour embrasser les
anciens camarades. Ce soir, elle n'en avait pas le courage. Dans la cabine, elle composa de ses doigts gelés
le numéro londonien. Son cœur battait d'attente et de
colère ; au bout de dix sonneries, elle raccrocha. Décidément, il se foutait d'elle. Heureusement, lorsqu'elle
rentra à la ferme, Cécilia lui apprit que sa mère avait
appelé au bistrot, pour dire que Victor lui avait téléphoné, cherchant désespérément à la joindre Agathe.
Il téléphonerait à son tour le lendemain vers six heures
de l'après-midi, au bar du village. Agathe fut rassurée.
Il ne l'avait pas complètement oubliée. Ce vain aller
et retour lui laissait pourtant un goût de mécontentement.

Le lendemain, vers cinq heures et demie, elle y
retourna. Tous les hommes étaient déjà au bar ; il faisait nuit et froid ; le rendez-vous quotidien pour jouer
aux cartes, boire des demis et fumer la pipe ou des
gitanes blondes était avancé en hiver. Elle put retrouver un certain nombre de ses anciens amis ; l'un était
devenu agriculteur, l'autre aidait à la ferme de son
père, un troisième était jardinier et pépiniériste. Les
absents étaient en général partis à la ville pour travailler. On raconta les dernières anecdotes, les mariages à
venir et les trahisons ; on critiqua le maire ; on se
moqua des chasseurs qui, cette année, n'arrivaient pas
à tirer une bête ; tant pis pour eux ; s'ils pouvaient
changer de secteur, on ne s'en porterait pas plus mal.
À six heures pile, le téléphone sonna. Le patron

appela Agathe qui bavardait avec une jeune femme qu'elle avait connue à huit ans, et qui aujourd'hui attendait un enfant. Elle se blottit dans un petit coin derrière le bar, et se transporta sur l'île anglaise, l'espace d'une demi-heure. La voix de Victor, dans le grésillement de l'appareil, l'emplit d'une bouffée de chaleur et de joie qu'elle réprima aussitôt, n'oubliant pas qu'elle était en colère. Lui aussi semblait ému de l'entendre à nouveau ; sa voix était douce, ses paroles étaient douces ; il avait besoin d'elle, besoin de l'écouter, besoin de lui parler ; elle tenta de rester froide, mais ne tint pas une minute. Alors, elle lui fit dix reproches à la fois, dans un foisonnement de paroles qui dénonçait l'impatience avec laquelle elle l'avait attendu. Que faisait-il donc pour être si souvent absent ? Victor fut évasif sur ses occupations ; elles lui apparurent tout à coup secondaires ; sa vraie vie était là, petite voix brisée au bout de l'appareil ; c'est en l'entendant qu'il ressentit avec violence à quel point elle lui manquait.

Pourtant, Agathe avait prévu de rester plus de dix jours à la campagne ; il savait qu'elle n'en démordrait pas. Aussi céderait-il à ses tentations, et resterait-il lui aussi à Londres. Il ne pouvait se défendre d'éprouver des remords ; mais elle lui avait aussi appris qu'un amour authentique n'était pas susceptible de trahison ; il avait beau édifier une nouvelle relation, son amour pour Agathe n'avait en rien été altéré ; n'était-ce pas cela la vraie fidélité ? Un amour qui résiste à l'impulsion d'un autre, en sort même renforcé ? Il avait Agathe au téléphone, enfin, et devait profiter de chacune de ses paroles, se pénétrer de sa voix, jouir de chacune de ses intonations ; les problèmes qu'il avait lui-même provoqués dans sa vie ne le troubleraient qu'après ce moment de bonheur. Aussi la discussion fut-elle tendre, passionnée, sans fin ; au bout de trois quarts d'heure pourtant, il fallut raccrocher ; Agathe avait promis de donner à manger aux chevaux, et la communication coûtait cher à Victor, quoiqu'il ne s'en préoccupât pas ; elle lui imposa de mettre un terme à leur discussion ; mais il était difficile de se joindre ; aussi lui proposa-t-elle de lui écrire chaque jour, lui racontant tout ce qu'elle faisait, tout ce qui lui passait par la tête. Il trouva l'idée enthousiasmante. Lorsqu'il raccrocha, il ferma les yeux et s'interdit de sortir dîner pour garder le plus longtemps possible les méandres de la voix d'Agathe, comme un écho.

21.

Agathe rentra à la ferme, encore émue de cette conversation entre un bar de campagne et la clinquante capitale anglaise ; la distance n'avait en rien altéré le bonheur d'entendre la voix de l'autre. La présence de son père et de sa tante suffisait à la plénitude de ses relations humaines ; elle se sentait protégée, lovée dans un halo de tendresse et de force, de réflexions sereines et intenses, d'authenticité. Dans ces lieux, il lui semblait coïncider avec elle-même : c'est là qu'il y avait le moins d'écart entre ce qu'elle pensait être et ce qu'elle vivait ; peut-être était-ce la personne de son père qui concrétisait le plus fortement son rapport à elle-même ; peut-être qu'à ses côtés elle se sentait une, réconciliée ; toujours est-il qu'elle avait retrouvé la paix à peine le portail passé ; et voir Cécilia l'attendre sur le perron, les bras en croix, les yeux brillants, l'avait submergée d'un bonheur qui ne la quittait plus. Pourtant, elle était maintenant troublée par la pensée de Victor, et la conscience plus vive de son absence. Au sein de cette nature qui accueillait une famille réunie, l'homme qu'elle aimait n'était pas ; seule sa pensée hantait l'atmosphère, excitait ses émotions, la faisait rougir d'exaltation, pour la laisser abattue la seconde d'après. En partant d'un bon pas en pleine campagne, elle put reposer les heurts de ses sentiments qui la bousculaient malgré elle ; là, elle prit conscience de l'étendue de son bonheur. Bien sûr Estelle avait failli mourir, mais, au fond, il n'était pas sûr qu'elle ne s'en sorte pas ; si elle n'avait pas fini de vivre des situations tragiques, elle devait bien avouer que la trame de son existence était tissée d'un bonheur solide, d'une envie de vivre qui s'exprimait au travers des êtres qu'elle aimait et dans les projets qu'elle menait à bien : sa thèse, ses amis, Victor, et ces retraites au cœur de la campagne, dans la ferme de sa tante, où l'avait accompagnée son père adoré.

Il était l'heure de dîner ; la table était mise dans la cuisine, parce qu'il y faisait plus chaud ; les parfums se mêlaient ; odeur de pipe et de soupe, de fromage et de chocolat. La marche forcée lui avait ouvert l'appétit, ce simple repas la mettait en joie. Au cours du dîner, Cécilia lui proposa de participer au concours hippique qui aurait lieu une semaine plus tard en deuxième catégorie ; Agathe achetait sa licence chaque année, au cas où... Un cheval était prêt pour ce type d'épreuve, que sa tante avait entraîné toute l'année, et qu'il suffirait de monter cette semaine pour se familiariser avec lui ; un peu vif, la bouche fragile, capricieux ; d'une grande puissance, si on savait la canaliser. Un fermier devait l'amener le lendemain, du club hippique voisin où son propriétaire l'avait mis en pension ; il serait ravi qu'Agathe se charge de le faire concourir ; elle lui avait déjà parlé d'elle, et de sa finesse de monte. Il y aurait quatre épreuves au cours de la journée ; elle l'inscrirait pour les deux premières. Agathe ne s'attendait pas à cette proposition ; son bonheur en fut d'autant plus vif, elle adorait concourir. Puisqu'elle avait une bonne semaine pour s'entraîner, elle serait prête pour se remettre à la compétition et retrouverait les rituels du concours hippique, la tenue de circonstance, la rencontre avec le parcours, les frites et les crêpes sur le bord du terrain, les nombreux spectateurs, leurs chiens, les camions et les vans, la musique, et les présentations de chaque cavalier par le président du jury, les prix, les galops, l'émotion et la peur, le bonheur enfin de se mettre à l'épreuve, la tension et l'épuisement qui s'ensuit. C'est en parlant et riant avec sa tante et son père, sirotant un troisième cognac après avoir fini la bouteille de bordeaux, qu'elle put satisfaire le bouillonnement de son corps, exprimant maladroitement le foisonnement de ses pensées.

Il était près de onze heures du matin ; elle émergea peu à peu de sous sa couette. Comment avait-elle pu veiller aussi tard, elle qui devait commencer à entraîner le jeune cheval ? Ses rêves avaient été tumultueux. Elle n'avait pas prévenu Hadrien de son départ. Ils s'étaient violemment disputés quelques jours auparavant ; Hadrien n'osait appeler Agathe, mais se morfondait chez lui. Cette fois, elle n'avait pas l'intention de le revoir avant longtemps. Son exaspération était venue à terme et, pensait-elle dans sa colère, à un point de non-retour.

Estelle était encore entre la vie et la mort, on ne pouvait rassurer les parents, murés dans une souffrance muette ; seule Fanny pouvait lui donner les nouvelles qu'elle n'allait pas chercher à l'hôpital, sachant qu'elle n'y était pas forcément bienvenue. Malgré eux, les parents des deux sœurs ne pouvaient s'empêcher d'associer Agathe au monde qui avait perdu leur fille ; elle l'y avait fait pénétrer, l'y avait accueillie, et l'avait abandonnée à sa propre faiblesse, au milieu d'influences diverses et néfastes. Agathe avait compris qu'ils ne désiraient pas la voir. Ils se sentaient gênés en sa présence, partagés entre la reconnaissance et l'hostilité. Seule Fanny lui était restée attachée. Plus forte qu'Estelle, plus lucide que ses parents, elle pouvait se faire une opinion plus juste de l'évolution des rapports entre Agathe et sa sœur. Agathe n'avait jamais abandonné Estelle, jusqu'à ce que celle-ci l'y contraignît. Il fallait lui rendre cette justice. Elle souffrait de ne pouvoir aller à l'hôpital, se sentait rejetée, seule.

Victor était loin, Hadrien n'avait pas appelé depuis quelques jours. Elle ne lui avait pas raconté la scène qu'elle avait vécue, le coup de téléphone de Fanny qui avait découvert le corps inanimé. Seul son père avait été du plus grand secours, mais le reste du monde s'était tout à coup évanoui autour d'elle. Les heures lui semblaient douloureuses, interminables, elle n'arrivait plus à lire ; la télévision la déprimait ; elle n'avait envie de voir personne. Pourtant, lorsqu'elle entendit la voix d'Hadrien, son cœur se réchauffa subitement. Elle s'aperçut qu'elle avait besoin de l'entendre, qu'il lui avait manqué dans ce moment difficile ; et de lui raconter d'un souffle ces jours passés à s'engouffrer dans un vide qui la hantait de tous côtés, le remords, la souffrance, la solitude. Elle était heureuse qu'il appelle enfin. Était-ce Fanny qui l'avait prévenu ? Depuis quand savait-il ? Agathe ne le laissait pas parler. Pensait-il qu'elle s'en sortirait ? Comment trouvait-il Fanny ? Au fur et à mesure que les questions s'amoncelaient, l'angoisse d'Hadrien montait. Il se rendait bien compte qu'Agathe était bouleversée. Alors, il l'interrompit violemment et, d'un souffle, lui expliqua la situation qu'il avait laissé advenir. Il avait emmené chez lui la jeune Fanny, éplorée, désorientée, avait cédé à l'appel de sa souffrance et de sa solitude. Jusqu'à trois heures du matin, ils avaient discuté à bâtons rompus, mais, quand ils s'étaient tus, Fanny avait à nouveau éclaté en sanglots. Il l'avait alors prise dans ses bras et tout s'était enchaîné tellement rapidement qu'il n'avait pas eu le temps de prendre conscience de la situation. Le lendemain, il en éprouva de tels remords qu'il ressentit le besoin de se flageller. Il n'aimait pas Fanny. Elle était en situation de détresse. Il ne pouvait s'engager dans une relation sérieuse avec elle, et n'avait pas l'intention de lui mentir. Ce fut un grand silence qui suivit cet aveu, un silence et une tonalité, une tonalité infinie. Agathe avait raccroché.

Hadrien n'avait pas osé la rappeler. Depuis, Agathe était partie. Il ne le savait pas. Il ne le saurait pas. C'était long. Mais Hadrien perdit la notion du temps. C'est Fanny qui le réveilla au milieu d'une journée noire. Elle devait comprendre qu'il avait cédé à un instant d'égarement, par ailleurs très agréable, qu'elle l'avait ému. C'est avec un certain tact qu'il parvint à exprimer son doute comme sa confusion à la jeune fille compréhensive. Elle n'exigeait rien de lui, passer une nuit avec un ami n'engageait à rien. De son côté, Agathe tentait de ne pas y penser. Mais ses nuits la trahissaient, et c'est sur l'image d'Hadrien éperdu qu'elle s'éveilla à onze heures du matin, douloureuse et fatiguée.

Le corps cassé, les yeux gonflés et la voix enrouée, elle se précipita dehors, harnacha le cheval noir et nerveux, et le monta d'un saut pour l'entraîner tout au long de la matinée, dans la carrière d'obstacles. Sa tante la rejoignit rapidement, et lui donna quelques conseils de monte. La bête était difficile à tenir, la bouche fragile et le corps puissant, peureuse et à l'affût de chaque bruit, capricieuse et jeune. Pourtant Agathe se sentait heureuse, libre et menacée seulement par des forces saines, celles que ne nourrit pas la perversion humaine. Le combat était plus direct, plus captivant, plus stimulant aussi. Au bout d'une heure, elle avait trouvé un équilibre dans le conflit avec le jeune cheval. Les sauts étaient amples. Le spectacle était beau pour qui aimait l'équitation. Son père l'avait rejointe, tandis que Cécilia avait fini par se taire, émue de revoir sa nièce maîtriser avec autant d'adresse un animal de cet acabit. Ils étaient à nouveau tous les trois, au cœur d'une campagne sauvage, qu'ils avaient érigée en espace de paix.

Les odeurs hantaient chaque lieu à leur manière, les écuries respiraient celles des chevaux, mais aussi l'alcool à brûler dont on les bouchonnait pour que sèche plus rapidement l'écume de leur transpiration, la cire des cuirs de selles et de filets, la graisse des sabots ; les parfums de feu de bois dans les champs, les pins et la couverture brune des sols, la terre tantôt boueuse et tantôt sèche sous le verglas. Si l'on ne marchait pas assez vite, ou si le cheval n'exigeait pas suffisamment d'énergie, les doigts gelaient rapidement, ainsi que les orteils, et l'on souffrait d'onglée en rentrant à la maison, tandis que la chaleur du four où cuisait quelque tarte accélérait le reflux du sang. Mais il y avait aussi l'odeur des chiens qui couraient à travers

champs, levant les lièvres ou les perdrix, qui se rou-
laient parfois dans la boue et que l'on devait frotter
des heures pour retrouver, sous la terre humide, un
poil brun ou noir susceptible de prendre place dans les
canapés ou sur les lits. Tous parfums de campagne,
de forêts et de bêtes en tous genres, qui se mêlaient à
ceux de la cuisine où l'on débouchait facilement les
bouteilles de cognac, où l'on fumait volontiers les
cigarillos que Cécilia recevait d'un de ses amis
cubains ; elle avait quelque temps vécu là-bas, comme
jeune ouvrière agricole, militante et amoureuse, gardant de ses années de socialisme et de castrisme les
plus beaux souvenirs de sa vie.

Ils étaient tous les trois, proches et éloignés de leurs
soucis, de leur autre vie, de cette existence qui tout à
coup prenait une autre dimension, une saine relativité.

22.

Cela faisait trois jours maintenant qu'Agathe avait appelé Victor. Mais il ne pouvait se défendre de penser à celle qui lui donnait sa liberté ; il ne jouissait de Suzanna que dans la mesure où Agathe le lui permettait, voire l'y encourageait. Non qu'elle acceptât gracieusement qu'il pût aimer une autre personne ; mais tout son mode de vie, sa réflexion, ses aspirations convergeaient vers ce point central, vers ce noyau que le terme de tolérance ne désigne qu'imparfaitement ; il s'agissait d'une tolérance conquérante, d'une tolérance sous-tendue par le désir profond de reculer les limites de l'humainement acceptable, en admettant l'autre dans toute sa dimension, ce qui prenait en compte les « petites infidélités », comme Agathe les avait appelées.

Il devait retrouver Suzanna dans un pub de la banlieue nord, la plus éloignée de leur centre d'activité habituel. Elle l'attendait, derrière une vitre fumée, buvant un thé, encore emmitouflée dans son large manteau marron, les joues roses de fraîcheur. Elle ne l'avait pas vu ; il demeura quelques instants dehors, pour la regarder ; elle était émouvante ; livrant encore un conflit intérieur qui se peignait sur son visage franc ; il faudrait lui apprendre à feindre, mais cette honnêteté le séduisait ; elle aimait plus qu'elle n'était vertueuse. Victor entra enfin pour s'asseoir à ses côtés, lui prendre les mains, et s'immiscer avec plus d'insistance encore dans ses pensées, chassant l'ennemi.

Il commanda une bière, avant d'emmener Suzanna se promener au cœur des Puces. Ils marchaient l'un contre l'autre, barricadés derrière leurs écharpes, mais éprouvant avec extase la chaleur réciproque de leurs corps, s'insinuant à travers leurs veines, leur chair et leurs désirs. Victor la prit par la taille, passant le bras sous le manteau et le pull, afin de toucher sa peau tiède ; sa main caressait lentement la taille et le haut des hanches ; ses doigts s'enfonçaient dans la chair, la palpaient, la sculptaient, puis remontaient le long des côtes qui se faisaient à peine sentir sous la pression, protégées par l'épaisseur souple et confortable de la peau enfantine d'une femme de quarante ans. À travers les stands hétéroclites qui vendaient vêtements et vieux meubles, disques et bibelots, ils croisaient d'autres corps, mais ceux-là étaient désincarnés ; seules respiraient d'un commun accord leurs chairs compulsées en un même élan de désir. Victor ne parvenait pas à parler, et ce silence les éloignait du reste du monde ; ils ne pensaient pas non plus, obsédés par le trouble de leurs sens. Ils avaient oublié le froid, la foule, l'heure qui restreignait leurs rendez-vous ; d'un pas lourd et fantastique à la fois, hors du temps et de l'espace, ils se dirigeaient vers ce petit hôtel où ils avaient déjà passé deux nuits. La chambre était vétuste, le lit grinçait ; pour toute salle de bains, il n'y avait qu'un lavabo où l'on n'était pas

sûr de trouver de l'eau chaude. La fenêtre donnait sur
une rue grise, au loin, une usine ; dans la rue, des cris
et des klaxons ; à quelques pas, un marché qui
ouvrait trois jours sur sept, et qui exhalait des parfums divers, poissons et fleurs, viandes et oiselleries.
Mais c'était là le lieu de leurs amours. Et ces amours
ne pouvaient se dissocier des murs dénudés, misérables, qu'ils transfiguraient. L'amour est bourgeois
ou fétichiste ; il a besoin de posséder un lieu, de
s'inscrire dans la durée comme dans la réalité des
choses. Il exige un détour qui le rassure sur sa profondeur ou sa pérennité ; il désire l'éternité tout en
s'abîmant dans le momentané. Cette chambre n'était
déjà plus quelque chose d'extérieur à eux. Ils en
rêvaient lorsqu'ils étaient séparés, seuls dans leurs
appartements ; ils en rêvaient lorsqu'ils étaient
ensemble, à quelques mètres seulement du but, leurs
corps lourds de désirs, impatients. Elle contenait un
univers de jouissances comme un horizon de bonheur ; elle accueillait leur amour ; cette chambre était
le décor d'une passion, en prenait les couleurs, était
réinvestie de sa beauté. Le froid de la pièce ne les
gênait pas. Victor avait demandé d'autres couvertures ; ainsi pouvaient-ils rester des heures durant, au
creux des draps, s'aimant ou se reposant ; dormir
côte à côte leur apportait un bonheur inattendu.
Suzanna découvrait le plaisir de la seule proximité,
de la présence, du corps de l'autre blotti contre le
sien, de sa respiration qui changeait de rythme
lorsqu'il s'endormait. Jamais elle n'avait joui de ces
siestes clandestines, ni du simple désir de demeurer
aux côtés de celui qu'on aime, sans parler, sans bouger, sans rien faire, à part être, mais être avec intensité. Quant à Victor, allongé contre Suzanna, il se

sentait invincible, enraciné comme un arbre qu'on aurait sans cesse transplanté, et qui trouverait enfin sa terre nourricière.

C'est ainsi qu'ils passèrent un nouvel après-midi ensemble, loin du monde.

23.

Agathe songeait à Hadrien.

Il était temps de prendre congé pour quelques jours de cette image qui l'obsédait. La ferme, les chevaux, son enfance devaient la détourner de ses hantises et de ses amours impossibles, de ses échecs et de ses fausses espérances qu'il lui faudrait quitter pour entrer dans de nouveaux rapports, plus sains, plus clairs, avec Hadrien et donc avec elle-même ; Agathe aimait Victor, définitivement. C'est lui qui lui apportait sa joie de vivre comme sa simplicité d'être. Victor était loin ; il menait sa vie ; respectant leur pacte, en profitant aussi. Elle ne cherchait pas à savoir ce qu'il était en train de vivre ; il était bon parfois de se séparer et de mesurer le degré de son indépendance ; il était bon de se retrouver seul et peut-être mutilé, parce qu'on était finalement fait de l'autre, et qu'il apparaissait dans toute sa dimension, illuminé par son absence. Victor n'avait jamais été aussi présent. Elle avait envie de le voir, de le toucher, de le sentir à ses côtés, mais elle n'en avait pas besoin. Elle ne parvenait pas à éprouver ce type de sentiment avec Hadrien. Hadrien l'habitait, obsessionnellement ; désirait-elle son bonheur ? Elle n'en était pas si sûre. Acceptait-elle qu'il s'éloigne d'elle en devenant lui-même ? Était-ce donc sa faute s'il ne parvenait pas à vivre ? Agathe devait se rendre compte qu'après l'avoir aidé, voire sauvé, elle avait fait obstacle à son véritable accomplissement. Hadrien l'aimait ; elle n'avait pu faire le sacrifice de cet amour.

24.

Victor ne dormait plus que rarement. Suzanna et lui ne pouvaient se voir que tard dans la nuit, à ces heures que hantent les sans-abri, les derniers invités de fêtes nocturnes, les ivrognes qui ne sentent plus le gel et meurent de froid ou de cirrhose dans les rues londoniennes déshéritées. Ils se retrouvaient dans de petits bars, juste avant la fermeture, et marchaient serrés l'un contre l'autre jusqu'à l'hôtel qui abritait la chambre dont ils avaient la clef. Leurs deux corps n'en formaient qu'un ; lorsqu'un bar était encore ouvert, ils s'y arrêtaient pour prendre un dernier verre ; souvent, ils n'avaient pas mangé, dans l'attente anxieuse de leur rendez-vous toujours incertain ; pouvant être annulé par la maladie d'un enfant ou la fantaisie du mari, l'appel d'une sœur, un dîner officiel... Victor était beaucoup plus libre ; il ne s'était pas vraiment réconcilié avec Helen, ne s'en préoccupait pas, enfermé dans l'indifférence du bonheur.

Victor avait l'illusion de la force, de l'invincibilité, la conscience aiguë de son existence. C'est grâce à cela qu'il pouvait encore travailler, avait envie de démultiplier ses activités. L'histoire avait recommencé de le passionner ; il passait ses journées enfermé dans les bibliothèques, sans cesser pour autant de penser aux femmes qu'il aimait. Elles pouvaient cohabiter dans sa tête sans se contredire. Il avait l'impression que ses facultés s'étaient agrandies. Cela faisait bientôt dix jours qu'il dormait à peu près quatre heures par nuit, sans ressentir quelque faiblesse. Soutenu par une surexcitation permanente, un bonheur qui tenait du combat, les moments qu'il vivait s'ouvraient sur un avenir contenant le défi d'une liberté à instaurer. Son acuité s'était accrue, ses sens aussi. Peu importait que ce sentiment de puissance, mêlé à celui de légèreté, soit faux ; Victor avait le sentiment de vivre.

Sa thèse avançait ; sa passion s'enracinait de jour en jour, son amour pour Agathe était de plus en plus profond. Quelques cernes se creusaient autour de ses yeux ; il maigrissait à vue d'œil, n'ayant plus le temps ni l'esprit de se nourrir, occupé à d'autres tâches plus prenantes.

Survolté et heureux, Victor parcourait les rues nocturnes d'un pas alerte ; Londres défilait sous son regard agrandi ; la froideur des demeures se transformait en majesté, et il inventait les vies qu'il voyait cernées dans la lumière des fenêtres, encadrant des carrés d'existence, et laissant libre cours à l'imagination. Suzanna l'attendait dans leur chambre d'hôtel ; et ils rêvaient de voyages futurs, loin de ces murs gris ; elle les imaginait avec force détails, il les reléguait dans l'espace le plus abstrait de ses pensées. Seul Londres pouvait accueillir leurs amours.

Suzanna avait surmonté sa timidité ; elle se dévoilait chaque fois un peu plus, parlait de ses enfants, son mari, la vie affective insatisfaisante mais loyale qui les avait unis jusqu'ici, leur solidarité profes-

sionnelle ; la difficulté qu'elle avait eue pour s'affir-
mer dans le monde de l'art, et la générosité d'Helen. Il
semblait à Victor qu'elle n'avait jamais eu l'occasion
de se livrer ainsi. Elle ne regrettait pas son parcours ; il
était en son genre exemplaire ; mais cette passion soudaine changeait son regard sur les choses. La vertu du
sacrifice et de l'abnégation s'effondrait peu à peu
devant la facilité du bonheur. Suzanna pouvait enfin
aimer, aimer sans scrupules ; mais, si elle parvenait à
vivre aussi entièrement cet amour, c'est en un sens
parce qu'il était interdit.

25.

Agathe se préparait pour le concours hippique. Son cheval était un bon sauteur, un peu nerveux, un peu capricieux, mais attachant. Elle aimait ce type de bête, fébrile entre ses cuisses menues mais musclées, dures et moulées dans le vieux pantalon en velours brun, usé à l'intérieur des jambes. Agathe avait belle allure sur sa monture noire et harnachée, la tête haute, le dos souple, les mains légères ; elle la menait de poigne ferme ; toutes deux formaient un ensemble harmonieux. Chaque après-midi, elle lui faisait subir un entraînement d'une heure, puis la promenait dans les forêts alentour.

La vie suivait son rythme sportif de grand air et de sueur ; le soir, ils se retrouvaient tous les trois pour lire au coin du feu. Agathe était heureuse d'être avec son père ; cela faisait longtemps qu'ils n'étaient pas restés autant l'un avec l'autre. Depuis la mort d'Antonio, ils avaient eu peu d'occasions de se retrouver seuls et de vivre ensemble plusieurs jours d'affilée ; certes, ils essayaient le plus possible d'imposer à leur emploi du temps ces retrouvailles et les tête-à-tête aussi nécessaires à l'un qu'à l'autre, mais ils étaient emportés par leurs activités respectives. Elle, ses études, Victor et ses nuits festives ; lui, sa femme, ses maîtresses, ses auteurs, ses lectures, ses réceptions parisiennes qu'il fuyait de plus en plus. Ils oubliaient parfois qu'ils devaient se ressourcer dans une vie plus profonde où ils puisaient leur énergie et leur raison d'être. Son père était un grand travailleur, capable aussi de paresser ; sa mère plutôt de nature activiste. Agathe partageait cet amour du travail ou cette dépendance. Elle pouvait consacrer des mois à la philosophie, sans s'apercevoir qu'elle était enfermée dans son appartement, que ses amis la réclamaient, qu'elle ne s'habillait plus, ne sortait plus, mangeait à peine, et dormait quand elle y pensait, absorbée par ses livres et sa passion pour les études. C'était indéniablement une famille de travailleurs ; en de maintes occasions, le labeur les avait sauvés. Le temps lui était consacré comme un hommage mais aussi comme une nécessité. Les métiers qu'ils avaient choisis aiguisaient une curiosité sans cesse renouvelée qui les maintenait dans une obligation permanente d'apprendre, de douter, de critiquer et de créer. D'abandonner les préjugés au profit d'une exigence plus difficile, celle de ne jamais s'installer dans le confort des certitudes et des acquis. C'est cette incertitude qui insufflait à leur existence une force, une énergie, un sens. Ce n'est qu'à la ferme qu'ils reposaient leur esprit surmené.

Agathe aimait la philosophie, son père la littérature ; ils se nourrissaient de livres, les chérissaient comme des objets d'art, les rangeaient dans les bibliothèques qui décoraient leurs murs, dans l'ordre qui était le leur, tantôt alphabétique, tantôt affectif ; chaque rayon était une partie de leur vie, de leur cœur, de leur intellect, reflétait avec fidélité leur âme. Ils pouvaient communiquer par échange de livres, envoi d'une nouvelle publication, révélation d'un jeune auteur, qui leur apprenaient en un langage neuf ce qu'ils voulaient se dire dans leur langue propre, celle d'un père et d'une fille, pénétrés de pudeur. Mais ce n'était pas les livres qui tenaient lieu, à la ferme, de conversations; elles étaient centrées sur l'équitation, les récits des longues promenades, les rencontres de chevreuils ou de faisans, qui avaient terrorisé le jeune hongre, et failli jeter à terre la cavalière pourtant aux aguets. On parlait de famille, de campagnes, du pota-ger, des récoltes, des arbres et des plantes, des mala-dies des lapins, de la météo, des dernières nouvelles des enfants du village.

En fin de soirée, il est vrai qu'on abordait la litté-rature; mais elle était intégrée à cette vie, de telle sorte que chaque livre aimé tenait lieu d'un membre de la famille; on le lisait, le relisait, on s'en racontait les scènes favorites; on imaginait la maison des Rénal, le visage d'Anastasia Philopovna, on aimait *Les Frères Karamazov*, on ne se lassait pas de les décrire, de s'approprier la bonté d'Aliocha, la folie d'Ivan. Comment aurait vécu Julien Sorel? L'homme sans qualités se qualifierait-il enfin, sous l'influence de l'amour de sa sœur? Pourquoi Musil était-il mort à ce moment du livre? Quel crime n'avait-il pas commis? On pouvait aussi inventer la fin de Lucien Leuwen, polémiquer sur les failles psychologiques de Kafka ou de Nietzsche; tous ces êtres faisaient partie de la famille; on parlait d'eux comme si on les connaissait. Dostoïevski et Stendhal étaient les favo-ris; mais bien d'autres entraient dans la légende familiale, parmi les hôtes d'honneur. Dans cette mai-son, Agathe et son père, relisant leurs classiques, se réappropriaient leur âme d'enfant. Ils aimaient tous trois ce jeu qui leur permettait d'exprimer des émotions sans cela contenues, des émotions qu'une délicatesse maladive les empêchait de communiquer, autrement que sous le voile ou par l'intermédiaire des auteurs aimés.

Il faisait chaud dans la bibliothèque ; Agathe commençait à s'endormir ; la voix de son père la berçait doucement, tandis que le feu l'assoupissait ; une voix chaude, brune, qui se perdait à la fin des phrases, dans une sorte de silence obscur qui promettait un univers de secrets, de douleurs, de profondeurs sans fond, un univers dans lequel jamais personne ne s'aventurait : seule Agathe en dépassait le seuil, mais rapidement elle faisait marche arrière, comme si ce puits de richesse, de tendresse, de pensée, était aussi celui d'une mort dont il avait la clef. Il aimait vivre autant qu'il savait souffrir ; et, en cela, ils étaient faits du même sang.

Elle devait se coucher un peu plus tôt que d'habitude pour être en forme le jour du concours. Ordinairement, ils montaient chacun dans leur chambre vers deux heures du matin ; or, la première épreuve avait lieu à neuf heures, les chevaux devaient être brossés et prêts à huit, le lever à sept, ce à quoi n'était plus accoutumée la jeune fille. Elle aimait ces matinées glacées, tandis qu'il fait encore nuit, que les chaumières s'éveillent derrière leurs volets clos, que les bêtes dorment encore dans les écuries ; on se frotte les yeux, on a froid, les joues gelées, les mains dans les poches, en quête de gants égarés dans l'écurie encore mal éclairée ; l'haleine sort en volutes, on se sent froissé, étriqué dans son corps qui tente de résister à l'humidité du matin ; la gelée blanchit les

champs ; on l'écrase de ses bottes en cuir, y inscrivant
des pas noirs de neige fondue ; les chiens vous
suivent, eux-mêmes à peine éveillés, traînant la patte ;
les premiers gestes sont lents ; pas âme qui vive ; bientôt, pourtant, les fenêtres s'ouvrent, le ciel s'éclaire ;
des hommes sortent, prennent leur voiture ankylosée
et paresseuse, réfractaire au démarrage ; des femmes
balayent le devant de leur porte ou vont nourrir les
chiens ; on commence à entendre les hennissements et
les beuglements ; les bêtes savent qu'il est l'heure de
manger ; l'odeur d'avoine et de foin se répand ; la
gelée s'efface peu à peu, sans qu'on s'en aperçoive ; et
l'on se réveille vraiment ; le corps s'est habitué ; il est
chaud sous le pull de laine et la veste cirée ; les doigts,
tout à l'heure glacés, sont maintenant brûlants, s'acti-
vant avec force sur le dos du cheval ; le bouchonner, le
brosser, l'étriller, curer les sabots, cirer les cuirs trop
secs, les ranger dans le van, après maints aller et
retour de l'écurie au van, du van à la maison, de la
maison à l'écurie, où l'on décide finalement de tresser
la crinière, parce qu'elle n'est pas assez lustrée.

Enfin, l'heure tourne, il faut partir ; on monte dans
la cabine du camion ; Cécilia, Yves, le garçon
d'écurie, et Agathe ; toujours le même rituel ; on passe
devant le perron et klaxonne pour saluer le père, qui
demeure à la maison, mais les rejoindra bientôt ; il
n'aime pas savoir sa fille sur un terrain de compétition, si svelte sur une bête si robuste, au regard de
tous, si combative qu'elle en deviendrait imprudente ;
alors il va la voir, le cœur serré, suant d'angoisse ; il
ne doit rien lui en montrer, pour épargner sa propre
peur ; il est un peu superstitieux lorsque c'est Agathe
qui concourt ; laisser entrevoir son angoisse, c'est lui
porter le mauvais œil ; il dissimule courageusement
ses craintes, mais il n'y parvient pas.

Agathe se souvient du regard glacé de son père, de
ces yeux bruns fixes et brillants, qui n'osent ni sourire, de peur de paraître faux, ni dévoiler leur terreur ;
mais cet effort est vain, presque émouvant. Elle se
détourne, et laisse son père à ses propres angoisses.
Agathe refuse de porter la peur qu'elle juge injustifiée
de son père ; elle l'occulte le temps de l'épreuve ;
mais, lorsqu'elle achève son parcours, elle se dirige
immédiatement vers lui, les yeux lumineux de sa victoire sur les appréhensions de celui qu'elle aime, et
dont elle ne supporte pas la frayeur ni l'inquiétude ; il
la prend dans ses bras, rapidement, le temps d'une
effusion qui dit toute sa joie, sa fierté et son soulagement.

Cécilia était de tous la plus sereine, habituée à ces
épreuves hebdomadaires. C'était l'instant où son
aspect maternel ressortait avec le plus de vivacité.
Elle était le pilier de ces longues journées éprouvantes
et passionnantes à la fois.

Agathe songeait à tout cela, tandis qu'elle sombrait
peu à peu dans le sommeil, allongée sur le tapis devant
le feu, qu'elle entendait crépiter. Et cette musique trop
connue évoquait des souvenirs d'enfance qui l'empor-
taient dans les limbes d'un passé aimé dont elle avait
retrouvé les saveurs, le temps d'une journée.

Le concours avait lieu trois jours plus tard. Aussi
les souvenirs affluaient-ils avec une concentration
accrue. Sa joie se mêlant d'une certaine angoisse,
appréhension de revivre des moments perdus et
qu'elle avait cru enterrés, de réveiller certaines
odeurs, certains frissons qu'elle n'avait pas éprouvés
depuis trop longtemps, et qui appartenaient à une
autre époque de sa vie. Au fond, elle appréhendait
cette épreuve, et cette crainte diffuse montait

inconsciemment en elle, la submergeait par des images éparses, des rêves d'enfance, des absences soudaines ; plus l'angoisse montait, plus elle la refoulait. Des moments de bonheur alternaient avec des moments de peur sans objet, de peur qu'elle fuyait de toute sa volonté. Et la fréquence de l'alternance s'accélérait de jour en jour ; il n'en restait que trois, bientôt deux ; le jour approchait ; elle l'attendait avec impatience tout en l'éloignant de sa pensée, comme un mauvais songe.

Elle se réveilla plus tôt que d'habitude. Son père avait dû la mettre dans son lit, car elle ne se souvenait plus de s'être réveillée la veille, d'avoir monté les escaliers, et fait sa toilette. Lorsqu'elle était enfant, elle s'endormait toujours devant le feu, ne supportant pas d'aller se coucher avant les autres, préférant le tapis rouge de la bibliothèque, d'où elle entendait les adultes parler jusqu'à n'en plus finir, puis leurs voix s'évanouissaient dans le brouillard d'un sommeil fabuleux. Son père ou sa mère montait son petit corps endormi et bienheureux dans la chambre qu'elle partageait avec son frère. On lui mettait son pyjama, soigneusement pour ne pas la réveiller, on la bordait amoureusement, tandis qu'elle dormait à poings fermés ; à cette époque, elle avait le sommeil lourd et profond des enfants heureux. Il était aujourd'hui plus troublé, plus léger, plus douloureux parfois, traversé de mauvais rêves, ou d'angoisses fugaces.

Cette fois encore, ni Cécilia ni son père n'avaient eu le courage de la réveiller pour qu'elle aille se coucher ; en outre, ils avaient été emportés par une longue discussion sur un point d'histoire de France, qui les avait menés à parler des origines de leur famille, puis de leurs parents, du caractère impossible de leur mère, des névroses familiales, dont ils espéraient s'être plus ou moins sortis, ce type de conversation que l'on a en famille, que l'on ressasse et dont on ne se lasse pas, comme s'il s'agissait d'une sorte de rituel, au même titre qu'un repas commémoratif. Le frère et la sœur aimaient ces longues soirées interminables, à fumer des cigares, boire, quand ils en avaient envie, quelque cognac sorti de la cave, à parler sans fin, enveloppés de la fumée odorante, se mêlant à celle de la cheminée, lorsque le bois n'était pas tout à fait sec. Les heures coulaient jusqu'à atteindre l'essence de l'éternité, ces heures de la nuit, lorsque tout le monde dort, qu'on est seul à vivre, dans un monde de souvenirs, de plaisir, de pensées et de rêves, de discussions et de confort, un monde qu'imaginaient les enfants qui n'y ont pas accès, comme le royaume des adultes, dont ils auront peut-être un jour la clef, et qu'ils essaient d'atteindre en demeurant sur le tapis rouge devant le feu, mais qu'ils ne conquièrent pas, incapables de résister à l'engourdissement des sens, à l'assoupissement paisible d'un esprit d'enfant, entretenu du chant mélodieux des voix étouffées. Ils ne se couchaient parfois qu'au petit matin, gagnés à leur tour par le sommeil. Et si Cécilia devait se lever tôt pour nourrir et soigner les chevaux, le père d'Agathe dormait quant à lui jusqu'à l'heure du déjeuner. Il somnolait ensuite à l'heure de la sieste, et ne se levait véritablement que vers quatre heures, pour faire une promenade, avant de se plonger dans les lectures entreprises dès la fin de la matinée, au lit, tandis que tout l monde s'affairait pour préparer le repas. Dans cette maison, il était roi, adoré par toutes ses femmes, et cette situation le satisfaisait tout à fait. C'était un homme impressionnant qui imposait ce mode de vie en famille par sa simple stature.

Cécilia avait besoin de très peu de sommeil ; grande femme maigre et fumeuse, elle avait des allures masculines qui dissimulaient un grand instinct maternel, une tendresse, qu'elle n'offrait qu'à de rares élus. La famille de son frère était sa vraie famille ; ils avaient d'autres frères et sœurs, avec lesquels ils s'entendaient beaucoup moins bien. Jeunes, ils étaient déjà les meilleurs amis, attirés par les mêmes centres d'intérêt, les mêmes personnes. Ils avaient longtemps habité ensemble, dans un deux pièces du treizième arrondissement, invitant nuit et jour leurs amis communs, se présentant leurs fiancés de passage, les évaluant ; si l'un n'appréciait pas le choix de l'autre, ce dernier devait sur-le-champ laisser tomber sa récente conquête ; ainsi avaient-ils interrompu nombre de leurs aventures ; mais, lorsque l'objet du choix était aimé du frère ou de la sœur, il devenait l'invité permanent, participait à leurs sorties communes, connaissait tous leurs amis. Souvent, l'amant de Cécilia devenait le meilleur ami de son frère ; la réciproque était aussi fréquente ; et ils avaient ainsi mené une vie de fêtes, de lectures, de discussions passionnées, d'engagements politiques, pendant près de dix ans ; ils rendaient visite à leurs parents, frères et sœurs, presque tous les dimanches ; leur mère cuisinait alors un grand repas auquel ils ne pouvaient se soustraire ; mais c'était le seul sacrifice qu'ils continuaient de faire à une famille avec laquelle ils étaient en rupture. Ce n'est que lorsque le père d'Agathe rencontra la jeune femme qui devint sa mère trois années après leur premier rendez-vous qu'il décida d'emménager avec elle. Cécilia en éprouva une vive douleur, tout en sachant que la fondation d'une vie de famille exigeait cet isolement. Elle n'en avait pas tenu rigueur à Carla,

qu'elle appréciait particulièrement ; au contraire, elle
l'avait assistée lors de son accouchement, l'avait soutenue, à l'occasion des présentations officielles et glaciales à ses parents ; dès le départ, elle s'occupa
activement des jumeaux, soignant Antonio, gardant
les enfants lorsque les parents sortaient ou partaient
en voyage.

Au bout de deux années, elle abandonna ses études
d'histoire pour s'installer à la campagne. Depuis toujours elle avait rêvé d'élever des chevaux. Sa thèse
achevée, elle emporta ses livres et s'installa avec son
compagnon à deux cents kilomètres de Paris, dans une
petite ferme tombée à l'abandon, qu'ils rebâtirent en
un an ; elle acheta deux juments poulinières, et les fit
saillir ; c'est ainsi que commença son élevage. Son
frère l'aidait tant qu'il pouvait financièrement ; mais
Cécilia n'avait pas peur d'une vie rude. Elle était restée fidèle à ses idéaux de jeunesse, sans pour autant
condamner son frère qui avait un peu nuancé sa position. Pour accroître ses revenus, elle aidait les paysans
du coin à quelques tâches ingrates. Quelques mois
plus tard, son compagnon, las de leur difficulté de
vivre, repartit pour Paris. Seule, elle n'était pas sûre
de pouvoir tenir ; pourtant, elle accepta un poste à
l'université, qui ne lui demandait que deux heures par
semaine et lui permit de renouer avec ses premières
passions. Elle publia un, puis deux ouvrages qui lui
rapportèrent quelques revenus ; la ferme fonctionnait
de mieux en mieux ; sa vie à la campagne était enracinée.

Agathe n'avait entendu que des bribes de cette histoire ; précisément, lorsqu'elle s'endormait au coin du
feu, et que le frère et la sœur rappelaient leurs souvenirs, elle interceptait alors quelques fragments de leur

vie, l'imaginant sous les auspices d'une joie sans cesse renouvelée, de fêtes brillantes, d'éclats et de petits amis, de révolutions et de disputes politiques. Elle aimait entendre ces deux personnes parler de leur enfance à eux, et de cette jeunesse qui lui paraissait idéale. Pourtant, elle ne pouvait complètement les imaginer autrement qu'elle ne les avait connus, sous les figures de son père et de sa tante, ces deux êtres qui l'avaient élevée et auxquels elle vouait une adoration sans bornes. Mais aujourd'hui, c'était à elle de vivre cette jeunesse tant souhaitée, tant rêvée, d'inventer une vie nouvelle par laquelle ils revivraient incessamment, par laquelle elle les continuerait. Elle sentait leur force la soutenir dans toutes ses entreprises et elle était fidèle à leur existence en vivant avec autant d'intensité.

Depuis qu'Antonio était mort, c'est elle qui avait récolté le surplus de vie de chacun des membres de la famille, abandonnée à la douleur ; pour tous, cet événement avait constitué une rupture brutale, dont ils ne s'étaient pas complètement remis. C'est pour cela surtout qu'elle se sentait investie de la perpétuation de la joie d'une famille, brisée dans son élan ; seule, elle pouvait justifier leur continuation et leur acharnement dans l'existence, seule, elle leur donnait sens ; cette responsabilité parfois lui pesait, comme au réveil de ce matin, qui avait suivi une nuit agitée de rêves hantés de la présence d'Antonio, de mauvais rêves envahis de chevaux. En descendant petit déjeuner, elle décida qu'il ne s'agissait que de cauchemars anodins et dont elle ne devait pas tenir compte. Mais le malaise l'avait gagnée. Dès la première tartine avalée, le trouble avait cessé. Cécilia lui avait préparé un jus d'orange frais qui finit par la mettre de bonne humeur.

Comme chaque jour, elle entraîna son cheval, le récompensa d'une promenade à travers bois, revint pour déjeuner, se doucha, et passa une partie de l'après-midi à lire ; elle sortit faire un tour au bras de son père dans les allées qui bordent les grands champs, et ils rentrèrent pour l'heure de l'apéritif ; Cécilia avait déjà sorti la bouteille de scotch, après avoir nourri les chevaux, nettoyé les écuries et ciré tous les cuirs. Elle était de nature activiste et ne supportait pas le repos ; aussi n'avait-on pas de scrupule à la voir travailler autant, tandis qu'on était en vacances.

Le concours était dans deux jours ; Agathe commença à écrire à Victor. Peut-être son angoisse avait-elle quelque rapport avec lui. Peut-être se faisait-elle du souci à son propos ou pressentait-elle quelque chose ? Souffrirait-elle si Victor aimait quelqu'un d'autre ? Après tout, elle le lui avait permis. À y réfléchir abstraitement, elle ne le pensait pas ; mais, au fond, elle n'en était pas si sûre.

Peut-être aussi son trouble trouvait-il sa source du côté d'Hadrien ; elle ne supportait pas d'être en froid avec lui ; elle rêvait alors fréquemment d'Antonio ; plus jamais, elle ne devait se disputer violemment avec un être qu'elle aimait. Une menace funeste planait sur elle.

26.

Le concours avait lieu le lendemain. Agathe n'avait pas fait travailler son cheval ce matin-là, préservant toute son énergie pour le jour même. Aussi s'était-elle longuement promenée avec son père et Cécilia, à travers champs, puis dans les bois qui dominent la ferme. Ils avaient atteint le village le plus important de la commune, là où se trouve le seul supermarché des alentours ; ils en profitèrent pour faire quelques courses, des pâtes, sucres lents préconisés pour une compétition, et que Cécilia cuisinait à l'italienne, avec du gorgonzola, des petits champignons, et quelques tranches de jambon ; ils achetèrent aussi une bouteille de vin, que le père d'Agathe promit de porter lors du retour. Ils n'oublièrent pas les bières et les barres de céréales pour le lendemain. Et de reprendre la route, parlant à tort et à travers de tout et de rien, puis tout à coup de quelque chose d'important, enfin se taisant un quart d'heure, plongés dans leurs pensées ; ils marchaient d'un bon pas ; l'air était vif, revigorant ; leurs joues étaient de différents roses ; un air de famille se dessinait fermement sur leurs traits ; ils avaient le même sang, le même regard, le même air décidé, la même force de vivre, et les mêmes petites rides qui trahissaient quelques drames ; ils avaient la beauté des êtres qui ont vécu plus que les autres ; ils avaient existé avec toute la force de leur âme ; ils avaient existé sans jamais en perdre le sens. Agathe rayonnait au milieu de ces deux grandes personnes, creusées par l'âge, le travail et la vie : elle les reliait à la beauté des choses, au désir d'être, au bonheur de vivre. Ils marchaient tous les trois, renforcés par la joie d'être ensemble, le vent glacé des hautes plaines, l'odeur de la terre. Les chiens les suivaient, à l'affût de quelques oiseaux, de rats ou autres proies, faisant des aller et retour ; ils semblaient ivres d'air, de courses effrénées, de quêtes de gibier ; chiens chasseurs par essence, fouineurs et fougueux, ils exploraient tous les recoins de la terre, la reniflant avec hargne ; Agathe les enviait d'épouser avec autant d'intimité les herbes gelées et leurs odeurs, la lourde tourbe noire et humide qu'elle avait malaxée dans ses mains d'enfant, et dont elle avait fait des sculptures, des palais et des terrasses, des carrières et des montagnes. Rien ne l'avait plus fascinée que la terre, lorsqu'elle était petite, et qu'on l'avait éloignée des crottins de chevaux et des bouses de vaches, qui l'attiraient aussi, par leur parfum de ferme.

Parfois, les chiens levaient un lapin ou une perdrix, effrayant la compagnie ; mais les trois continuaient de marcher, imperturbablement, sursautant parfois, riant de la déconfiture presque systématique des deux épagneuls et du labrador que l'on avait sorti, après son opération. On se rapprochait insensiblement de la maison, les joues cette fois rouges, les mains brûlantes d'un afflux violent de sang, le corps en sueur. Il ne fallait surtout pas s'arrêter, de peur de prendre froid; mais après le dernier chemin de forêt, qui descendait à pic, et retenait les pas dans la boue profonde, la maison apparaissait, à travers les branches des hêtres et des pins. On avait laissé la lumière, pour avoir l'impression d'y être accueilli; il est vrai qu'il faisait nuit, que les chevaux n'étaient pas encore nourris, la cuisine non commencée. Mais il était encore tôt, le temps d'avancer la lecture des trois ou quatre ouvrages commencés, de prendre un bain, et de se détendre devant le feu. La fumée des tagliatelles envahirait bientôt les pièces; le whisky, les amandes grillées, quelques olives pimentées et du fromage; le bonheur était là, n'exigeait rien de plus. Agathe devait se coucher tôt; elle était fatiguée, cela tombait bien.

Le repas fut délicieux; il était temps d'aller dormir; Agathe redoutait ses rêves. Elle ne put fermer l'œil avant quatre heures du matin; Antonio, Hadrien, Victor, tous défilaient les uns après les autres devant ses yeux fermés, obnubilés par ces images intérieures; mais aussi des défilés de chevaux, d'obstacles, de craintes, de joies, d'exaltations; le lendemain était trop loin et déjà présent; vers le milieu de la nuit, elle put abandonner ses appréhensions pour se fondre avec l'obscurité.

Agathe transpirait dans ses draps trop étroits; des cauchemars l'assaillaient. Elle devait se lever à l'aube et ne parvenait pas à trouver le sommeil; cette simple impossibilité la mettait hors d'elle et l'empêchait encore plus de dormir; elle s'énervait seule dans son lit, impuissante à s'imposer le repos; une fois de plus, elle participerait à un concours d'obstacles qui lui demanderait beaucoup d'efforts physiques, après une nuit d'insomnie, épuisée et sur les nerfs, tendue à l'extrême, mais si concentrée qu'elle finissait par vaincre ; et souvent, elle avait remporté des épreuves dans cet état de concentration extrême, de tension de tout son corps, de tout son esprit. Elle était accoutumée à ces journées d'excitation à outrance. On l'admirait, sa monte était splendide, efficace, élégante ; elle était belle, sous ses cernes et son visage creusé ; elle était émouvante sous ses cheveux noirs et tressés, son sourire enfantin et sa voix brisée. Elle était rayonnante, et c'est aussi de cela que son père avait peur ; s'il n'avait écouté que ses instincts de père et d'homme, il l'aurait enfermée à double tour ; mais il l'aimait dans sa légèreté, ses excès, sa beauté outrageante ; il l'observait, jaloux et possessif, il l'admirait ; c'était sa fille, celle que tout le monde observait avec trop d'insistance, trop de lubricité, ou de jalousie. Il la regardait chaque fois fasciné, passionné par celle qui donnait sens à sa vie d'homme qu'il jugeait âgé, celle qui troublait les veilles de concours et d'épreuves de toutes sortes, celle qui occupait ses soucis, ses espoirs. Son père ne dormit pas non plus, pétrifié d'anxiété.

27.

Il était six heures du matin. La tante d'Agathe préparait le petit déjeuner dans la cuisine, économisant à sa nièce ses dernières minutes de sommeil. Elle lui pressa un jus d'orange, coupa des tartines, installa le plateau des confitures et des miels, prépara un café et alla la réveiller. Agathe était déjà debout, en train de s'habiller ; des jodhpurs blancs, une chemise blanche et une cravate, un pull noir en V, tout l'attirail du concurrent modèle, repassé et fraîchement lavé ; elle leva la tête, et observa sa tante, souriant, les yeux cernés. L'obscurité effaçait la fatigue de ses traits, mais Agathe paraissait d'autant plus menue au regard de sa tante attendrie et qui se souvenait de ces nombreux matins passés à tenter de réveiller la jeune fille réfractaire au réveil, ou au contraire à la trouver debout, comme cette fois, déjà prête à sortir, impatiente de concourir. Elles descendirent ensemble, en silence pour ne pas réveiller l'homme de la maison. Agathe avala rapidement son déjeuner et rejoignit Cécilia qui avait commencé à préparer les chevaux ; le camion était sorti ; le moteur tournait déjà, irradiant des bouffées de fumée dans la brume non encore levée se

confondant avec la nuit. Les ampoules perçaient faiblement l'obscurité, et y révélaient un brouillard mouvant, qui dansait à la fréquence de la poussière que
l'on y voyait voleter. Nul bruit ne brisait l'assoupissement généralisé ; parfois un cheval soufflait, le crisse-
ment des pas sur la terre, le garçon d'écurie qui
commençait à transporter les selles dans le camion ;
mais, peu à peu, l'écurie s'éveilla ; on s'affairait avec
encore quelque lenteur, mais elle suffisait à agiter
dans leurs boxes les chevaux mécontents que l'on eût
interrompu leur sommeil. Agathe entra dans le box de
son cheval, le caressa longuement, l'encourageant à
voix basse, exigeant de lui une victoire, mais aussi
une docilité qu'il n'avait pas toujours. Cécilia la
pressa ; il fallait partir dans dix minutes si on ne voulait pas rater la reconnaissance du terrain ; en outre,
elle passait parmi les premières ; il fallait échauffer
l'animal avant même que l'on ouvre le parcours pour
que les cavaliers le dessinent à pied, avant le début de
l'épreuve, étudient leurs virages, leurs distances, leurs
stratégies. Cette imprécation fit sursauter Agathe ; elle
avait presque oublié qu'il fallait partir, et son cœur se
mit à battre devant la concrétisation de ce moment
tant attendu et à la fois redouté. Elle se hâta de terminer de brosser l'animal, lui mit son licol, et le mena
jusqu'au camion dans lequel il ne voulut pas monter.
C'était le premier incident de la journée ; Agathe
aurait préféré s'en passer, devenant superstitieuse en
des instants d'émoi et de trouble affectif. Il fallut s'y
mettre à trois, pousser les flancs de la bête, l'intimi-
der, l'aguicher avec de la nourriture ; rien n'y faisait ;
il se cabrait, apeuré, et brûlait de son énergie en
s'énervant de la sorte. Il fallut le calmer.
    Au bout d'un quart d'heure, on parvint finalement à

le convaincre de monter dans cette stalle étroite et roulante. On avait pris un peu de retard. Cécilia conduisait le camion ; Agathe se hissa entre elle et le garçon d'écurie ; elle ne le connaissait pas bien ; il travaillait depuis peu de temps chez Cécilia. Pour le moment, elle était trop tendue pour pouvoir parler. Cécilia la trouvait anxieuse, plus que d'habitude, mais ne lui en dit rien ; il est vrai qu'elle n'avait pas concouru depuis une éternité, et les ambiances, lors de ces épreuves, faisaient monter rapidement la tension d'une personne incertaine de sa monture. Pourtant, Agathe était ordinairement sereine, presque inconsciente lorsqu'il s'agissait de gagner. Peut-être avait-elle seulement mal dormi. Cécilia savait qu'avant une épreuve un cavalier avait besoin de calme et de concentration ; aussi se taisait-elle, sinon pour rassurer sa nièce qu'elle ne reconnaissait pas ; il ne s'agissait pas tant de son caractère combatif que de cette pointe d'angoisse qui perlait à la fin de ses phrases. Mais elles arriveraient bientôt, et tout rentrerait dans l'ordre ; il suffisait de rentrer dans le jeu, et l'angoisse cessait, pour être remplacée par une émulation enjouée, qui se lisait aussitôt sur le visage de la jeune fille, incapable de dissimuler ses impatiences.

Ils arrivèrent en même temps que d'autres vans et camions ; les chevaux piaffaient dans le champ où ils étaient préparés ; quelques cavaliers s'échauffaient déjà dans le paddock d'entraînement ; on entendit la sonnette permettant aux concurrents de reconnaître le parcours. Yves, le garçon d'écurie, s'occuperait du cheval d'Agathe pendant que celle-ci irait découvrir les obstacles avec Cécilia ; elle lui donnait alors des conseils de stratégie, qu'Agathe écoutait attentivement, tout en s'imaginant à cheval, sautant avec

hargne, et réalisant habilement la stratégie mise à
l'œuvre. Elles parcoururent le terrain au pas de
course. Agathe devait commencer l'entraînement
dans moins de cinq minutes ; elle n'avait pas le temps
de repérer chaque virage, et le fit virtuellement,
comptant sur ses capacités de réaction et d'intuition le
moment venu. Elle retrouva Yves, essoufflée. Son
angoisse n'avait pas cessé, et le retard pris qui la mettait dans l'urgence n'était pas fait pour l'atténuer. Elle
se mit en selle aussitôt, et s'avança vers le paddock,
où trois ou quatre chevaux avaient commencé à sauter. Elle ne songeait à rien, envahie par ce sentiment
de hâte et d'oppression qui ne l'avait pas quittée
depuis la veille. En entrant dans le paddock, elle
s'aperçut enfin que son cœur battait à une allure anor-
male. Elle décida alors de se calmer, en se concentrant
sur le travail de préparation qu'elle avait à accomplir ;
elle fit faire à sa monture quelques exercices d'assou-
plissement ; il était difficile de rester concentré quand
le paddock commençait à être envahi : la circulation
était encombrée, les cavaliers ne respectaient pas les
priorités de règle dans une carrière et son cheval
n'était pas habitué à la présence d'autres chevaux
excités et souvent mal tenus. L'un d'eux, qui venait de
sauter, faillit entrer en collision avec Agathe, ce qui la
mit en rage ; mais il ne servait à rien de s'énerver ; elle
avait toutes les peines du monde à tenir la bête,
anxieuse et apeurée par le moindre contact avec un
autre cheval ; le bruit des haut-parleurs, le brouhaha
des conversations qui commençaient, les cris des
entraîneurs, donnant des consignes à leur cavalier,
l'anarchie régnant dans ce rectangle de terre qui
contenait beaucoup trop de chevaux pour sa super-
ficie.

Que faisaient donc les organisateurs ? Le nombre de chevaux était normalement régulé dans un paddock ; il était visiblement trop élevé, et une certaine panique commençait à s'emparer des bêtes les plus fébriles et les plus jeunes ; le cheval d'Agathe en était ; elle le sentait fuyant sous ses cuisses, et avait de plus en plus de mal à le contenir. L'heure avançait ; elle devait passer dans peu de temps ; il lui fallait donc faire sauter la bête, quitte à passer devant d'autres concurrents malpolis. Cécilia s'avança vers elle pour rassurer le cheval ; il était nerveux, mais au bout de quatre sauts s'apaiserait ; elle devait commencer par un croisillon et une petite barre droite qu'elle placerait pour elle. Agathe n'avait pas encore galopé ; elle se fraya un passage entre les autres cavaliers pour faire quelques foulées ; son cheval était impossible à tenir ; aussi décida-t-elle de le faire sauter tout de suite pour le calmer. Le premier obstacle se passa plutôt bien, malgré les ruades dont il la gratifia, après avoir passé la barre ; elle la sauta quatre fois de suite, pour habituer le puissant animal à rester calme après un saut. Cécilia monta la barre et plaça un oxer. Il était difficile pour la jeune cavalière de trouver une place entre tous les autres chevaux qui défilaient sur les obstacles, comme à la chaîne. L'ambiance n'était pas propice à la concentration, et son anxiété grandissait au fur et à mesure. Elle finit par réussir à sauter à la suite la barre et l'oxer ; son cheval faisait quelques caprices, touchant les barres, ruant dès qu'il le pouvait. Agathe était à bout de forces ; pourtant, son tour approchait ; le numéro dix, le onze, bientôt le douze ; elle avait le quatorze.

Le parcours était difficile ; il n'y avait pas encore de sans faute ; ce résultat, au lieu de la stimuler, accrut

son angoisse. Elle lutta de toutes ses forces pour garder la maîtrise de ses battements de cœur ; des images
défilaient devant elle, des images du passé ; elle
n'était pas réellement là, obnubilée par des inter-
férences qui l'empêchaient de monter correctement
son cheval ; celui-ci ressentait chacune des craintes de
la jeune fille, et les transformait en ruades de toutes
sortes. C'était au numéro treize ; il lui faudrait faire
encore un saut avant d'entrer sur le parcours officiel,
et le cheval serait jugé prêt. Si elle pouvait éviter ce
dernier saut et en finir rapidement avec cette première
épreuve, elle aborderait la seconde avec beaucoup
plus de sérénité ; ses rêves de la nuit précédente la
poursuivaient ; certes, elle avait à peine dormi, mais
s'était quand même laissé envahir par quelques cauchemars, dont elle ne parvenait pas à se débarrasser ;
le déroulement de la journée viendrait certainement à
bout de ces sombres images ; mais, pour le moment,
elles resurgissaient avec une intensité particulièrement menaçante. Le treizième concurrent attaquait le
troisième obstacle ; il était temps qu'elle saute une
dernière fois l'oxer. Elle remit son cheval au galop,
dans la précipitation et à contrecœur. À nouveau, il
fallait jongler avec les autres cavaliers qui défilaient
de manière anarchique dans l'espace exigu du paddock. Elle en fit deux fois le tour, en attendant que la
voie se libère ; elle ne parvenait pas à se décider à sauter ; Cécilia l'encourageait ; le temps avançait ; le
numéro treize avait presque achevé son parcours.
Enfin, Agathe tourna à droite pour se diriger sur l'obstacle ; il était très élevé, et sa hauteur exigeait qu'elle
calculât ses foulées, mais elle n'en avait ni le temps
ni l'esprit ; soudain, elle se sentit libre, sans aucune
obligation technique, aucune logique de monte, et elle

laissa courir sans plus le retenir son cheval jusqu'à l'obstacle. Le nombre de foulées était mauvais.

Ses antérieurs se prirent dans les barres, et son corps puissant s'étala de tout son long, avec brutalité, sur le sol froid et terreux du paddock. Le temps s'arrêta ; du sable et du sang ; un choc retentissant dans le cerveau qui en gardait une image, une odeur permanentes ; des bruits autour, un affairement, mais surtout beaucoup de silence. Il semblait à Agathe qu'Antonio était enfin revenu.

28.

Victor reçut une lettre d'Agathe ; elle désirait rester plus longtemps à la ferme, avec son père ; il pouvait différer son retour de quelques semaines. Victor fut surpris par cette lettre ; il la trouva même étrange ; sa brièveté surtout l'étonna ; l'écriture tremblait un peu. Il la reconnaissait à peine.

Pourquoi ne rentrait-elle pas à Paris, alors qu'elle devait avancer son travail, voir son directeur de thèse ? Des soirées étaient prévues dans les semaines à venir, les plus drôles ou les plus bizarres, les plus aventureuses, celles auxquelles Agathe aimait participer. Son père devait aussi avoir du travail. Pourquoi tout à coup avaient-ils tous décidé de rester à la ferme ? Cela faisait maintenant plus de deux semaines qu'ils y étaient ; peut-être son père avait-il besoin de repos, et Agathe en profitait-elle pour passer quelques jours de plus avec lui ? Mais n'avait-elle pas envie de le voir lui aussi ? N'était-elle pas impatiente qu'ils se retrouvent après tant de jours de séparation ? Il se demandait s'ils avaient été aussi longtemps séparés depuis qu'ils vivaient ensemble. Le temps devenait long, même s'il le remplissait délicieusement ; peut-être avait-elle aussi rencontré une personne à laquelle elle s'était attachée ; cette idée ne l'avait jamais traversé ; le bonheur rend insouciant ; il la chassa aussitôt, la trouvant insupportable. Victor, quoiqu'il s'en défendît, était maladivement jaloux. Imaginer Agathe dans les bras d'un autre lui était impossible ; et cette furtive impression le rendit furieux pour le reste de la journée. Il aurait voulu joindre Agathe, et tenta de faire le numéro du bar du village qu'elle lui avait donné. Le patron décrocha mais ne put que lui promettre de prévenir la jeune fille. Il décida alors de prendre son mal en patience ; si elle lui conseillait de rester, il n'avait qu'à suivre son avis ; ce n'était là que mauvaise humeur. Victor était blessé qu'elle ne fût pas impatiente de le retrouver. Elle avait au fond raison. Agathe devinait tout. Cette lettre en était une nouvelle preuve.

Il ne vit pas Suzanna pendant deux jours, prétextant un travail harassant et une sortie avec Helen. Victor traversa deux jours de brouillard, deux jours de dépression, prenant l'amère conscience qu'il ne pouvait vivre ses frasques sans la caution d'Agathe, qu'il ne pouvait vivre tout court, dans l'absence prolongée de la jeune femme.

Il passa une semaine dans la mortification ; ses rapports avec Suzanna s'altérèrent ; il devenait irritable, nerveux, pensif, absent ; elle cherchait à savoir ce qui lui arrivait, inquiète, bientôt désespérée.

Pendant cette période, il fit de nombreux efforts pour adoucir Helen. Une réconciliation lui semblait tout à coup urgente. Il avait négligé trop d'êtres qui lui étaient chers. Il était temps de les revoir. Victor était tout à coup épuisé. Ses heures de veille et ses nuits sans sommeil se firent soudain sentir. Il se retrouvait

seul pour les porter ; il avait négligé son besoin d'amitié, la qualité de certaines relations. Plus on aimait un
être, moins on devait être exclusif et négliger les
autres personnes importantes d'une vie.

Victor réfléchissait à tout cela, assis à sa table de
travail, dans le studio sombre. Il téléphona plusieurs
fois à la galerie et à l'appartement d'Helen. Elle
n'était pas à son travail. Chez elle, le répondeur se
mettait systématiquement en marche ; il n'osait pas y
laisser de message. Il réitéra ses tentatives, sans succès. Que pouvait-il faire ? Il était décidé à reconquérir
la jeune femme, se faire pardonner sa brutalité. Elle
n'avait pas à lui reprocher sa liaison ; il était libre de
faire ce qu'il voulait. Helen portait en elle la condamnation de son mode de vie, il l'avait occultée comme
on chasse un remords. Le remords demeurait, Helen
était partie.

Il passa plusieurs fois devant la galerie ; personne.
Il demanda à la jeune hôtesse où il pouvait trouver
Helen ; celle-ci lui apprit qu'elle était partie depuis
une semaine en Chine. Mais elle devait rentrer le jour
même, par l'avion de dix-neuf heures. Il était cinq
heures de l'après-midi. Victor avait tout juste le temps
de repasser au studio se changer, d'acheter une
jacinthe, et de prendre le métro pour l'aéroport de
Heathrow.

Il partit en courant, remerciant la jeune hôtesse, et
lui enjoignant de ne pas aller chercher sa patronne à
l'aéroport ; il s'en chargeait pour elle. Au studio, il
enfila une veste noire qu'Helen lui avait offerte, passa
chez le fleuriste, puis chez un caviste qu'il connaissait
bien, lui acheta un bordeaux 89 et une bouteille de
rioja. La nuit était tombée ; il ne ressentait pas le froid
qui s'était abattu sur la ville. Son cœur battait d'impa-

tience. Excité comme un jeune enfant, il avait l'air d'un amant transi attendant sa maîtresse partie depuis trop longtemps. Mais il ressemblait aussi à ces enfants fautifs qui, après s'être disputés avec leur frère, portent si lourdement leur bouderie qu'ils se sentent délivrés et envahis d'un bonheur sans mesure, lorsque leur est enfin donnée l'occasion d'une réconciliation. Il était un peu en avance ; l'avion comme toujours avait du retard. Cette situation lui rappelait sa première rencontre avec Helen ; elle revenait de Chine, désespérée et hautaine, mélange qui l'avait séduit. Victor se rappelait les folles soirées qu'ils avaient passées dans les petits bars de nuit, ou aux concerts les plus décadents comme les plus populaires ; leurs nuits à discuter, buvant des bouteilles de vin rouge, pleurant, se consolant. Ces dîners, lors desquels elle lui avait présenté des peintres célèbres, des acteurs et des metteurs en scène, des écrivains, toutes sortes de personnages plus folkloriques les uns que les autres, et dont certains avaient été ses amants. Il n'était pas question de laisser se diluer les liens qui les unissaient. Victor aimait profondément Helen, même s'il ne la désirait pas.

Il faisait les cent pas devant le panneau d'affichage. Enfin, on annonça l'arrivée du vol 854. Les passagers n'étaient pas encore sortis. Sa jacinthe à la main dont émanait un fort parfum, le visage rayonnant mais à la fois inquiet, il attendait. Enfin, les premiers passagers arrivèrent ; les enfants leur sautaient au cou, leur femme les embrassait ; peu à peu, la foule qui avait entouré Victor devant la porte se dispersait ; il ne restait plus que quelques personnes anxieuses. Un doute le traversa ; était-ce le bon vol ? N'avait-elle pas différé son retour.

Son cœur battait de plus en plus vite. Soudain, derrière un homme au teint blafard, une petite femme brune, la peau blanche sur laquelle se dessinait une bouche rouge vif, le pas sûr, bien que fatigué, surgit. Ce fut pour elle comme une apparition. Un éclair de joie traversa son visage ; mais aussitôt, il fut déformé par l'effort de réprimer toute manifestation de bonheur ; son expression en devint indéfinissable ; c'était pourtant trop tard ; la première réaction n'avait pas échappé à Victor. Il s'avança vers la jeune femme, souriant. Les traits de son visage cédaient peu à peu ; elle n'avait plus envie de lutter contre elle-même. Elle accepta qu'il la prît dans ses bras, bien que son corps fût raide ; mais déjà, elle faiblissait, et finit par l'embrasser à son tour. Son sac tombé à ses pieds, la jacinthe à terre, ils se serraient l'un contre l'autre et comprirent qu'ils avaient attendu ce moment avec une impatience refoulée. Dès lors, ils s'épanchèrent sans plus rien contenir, pleurant, riant pour un rien, se tenant la main comme deux enfants. Ils rentrèrent en taxi, s'arrêtèrent acheter du San Daniele chez un traiteur, et quelques autres mets de prédilection, et se rendirent au studio, où ils passèrent une nuit de la même facture que celles qu'ils avaient vécues, du temps de leur entente. Ils purent tout se dire, sans fausse pudeur ni susceptibilité, se reprochant leurs torts respectifs, regrettant ceux dont ils se sentaient responsables, s'insultant, puis s'étreignant, s'excusant l'un l'autre, se pardonnant. Victor se livra un peu plus ; Helen était la seule personne qui pût l'entendre. Il lui avoua qu'il aimait réellement Suzanna ; c'était une femme délicieuse, forte, bonne ; mais seule Agathe le faisait vivre. Il lui raconta la lettre incompréhensible d'Agathe. Helen tenta de le rassurer. Elle pouvait avoir envie de rester avec son père. En outre, cette maison, cette ferme, dont elle avait entendu parler de la bouche même d'Agathe, semblait renfermer une armée de souvenirs d'enfance. Victor devait comprendre. Pendant qu'elle lui tenait ce discours, Helen avait quelques doutes et, à vrai dire, ne comprenait pas l'attitude d'Agathe. La lettre, telle que la décrivait Victor, lui semblait étrange dans sa formulation. Elle gardait un caractère énigmatique qu'elle ne parvenait pas à éclaircir. Victor semblait suffisamment alarmé pour qu'elle lui fît part de ses inquiétudes. Aussi préféra-t-elle se taire et continua-t-elle d'apaiser ses soupçons.

Ils passèrent la nuit en discutant à perdre haleine, sans se préoccuper de l'heure ni du lendemain.

Victor avait décroché le téléphone, au cas où Suzanna désirerait le joindre. Lorsqu'il s'éveilla, tout habillé aux côtés d'Helen, il fut d'abord étonné de la situation; peu à peu, ses idées reprirent leur fil. Il réveilla doucement la jeune femme, qui ouvrit douloureusement les paupières et lui sourit, le visage serein. Victor était revenu. D'agréables rêves l'avaient accompagnée tout au long de la nuit. Certes, elle était irritée de le voir la presser de partir, au cas où l'autre arriverait. Elle se leva, s'étirant, et se masqua de son visage habituel. Il fallait qu'elle se dépêche; Victor avait la franchise de lui montrer ses craintes; tel était le ton donné à leur relation.

Elle prit congé rapidement, le serrant dans ses bras; il lui promit de la rappeler le soir même. Dès qu'elle fut partie, Victor téléphona chez Suzanna, raccrocha au bout de deux sonneries et recommença. Elle décrocha aussitôt, la voix affolée. Depuis la veille, elle était demeurée auprès du téléphone. Elle le croyait reparti en France. Victor la rassura. Il lui donna rendez-vous pour le soir même, lui expliquant qu'il avait renoué avec son amie, et que ces retrouvailles avaient été importantes pour lui. Suzanna connut les premières frustrations passionnelles, les inquiétudes et les souffrances. De son côté, Victor éprouva une angoisse inconnue, une angoisse dont il ne pouvait comprendre l'origine. Pourquoi Agathe avait-elle été si brève ? Il en ressentait une blessure. Que s'était-il passé ? Il résidait à Londres comme en transit, indécis, incertain ; deux femmes l'y retenaient ; mais celle qui comptait le plus n'était pas là.

29.

Il passa cette semaine à écrire laborieusement, préoccupé, restant des heures devant son bureau, se prenant la tête entre les mains ; une tête lourde et embrumée, dans laquelle régnait un désordre que Victor ne parvenait pas à réduire. Heureux, il lui semblait l'être ; mais une inquiétude prédominait. Il fallait qu'il rentre à Paris ; voir Agathe devenait urgent. Ses pages étaient encombrées, son écriture difficile ; pourtant, il éprouvait la nécessité d'écrire, pour déverser ou peut-être éclairer le trop-plein d'une vie débordante.

Durant cette semaine, il dîna deux fois avec Helen ; la jeune femme était particulièrement tendre ; retrouver les rapports d'amitié sans trouble qu'ils avaient eus jusque-là n'était pas tâche aisée. D'autre part, comment pouvait évoluer la relation qui le liait à Suzanna ? Il ne lui avait pas encore annoncé la décision de son retour à Paris ; elle en serait certainement désespérée, et cette simple idée le torturait.

Quand devait-il lui en parler ? Il n'arrivait pas à s'y résoudre, et les jours passaient. Dans l'immédiat, il préférait ne pas lui expliquer sa vie. Il fallait installer dans le temps une preuve de fidélité. Lui dévoiler

l'existence d'Agathe, c'était en quelque sorte un équi-
valent d'abandon. La première étape serait l'annonce
de son départ ; et l'avant-veille, tandis que Suzanna
arrivait dans le studio transie de froid, mais le visage
aimant, il décida de la prévenir.

Il avait préparé un repas pour l'un de leurs derniers
soirs, une fois encore, débranché le téléphone ; un air
de jazz jouait doucement ; quelques bougies brûlaient
ici et là. Suzanna fut étonnée de cet accueil. Au début
de leur union, elle s'en serait réjouie ; mais à cette
heure, elle en éprouva une certaine appréhension ; elle
devenait superstitieuse et interprétait chaque signe
dans le sens d'un abandon prochain, regardait Victor,
les yeux humides, attendant un verdict. Il restait silencieux.

Suzanna, obnubilée par la crainte, se taisait obstinément. La tension montait peu à peu. Sa douleur
accusait Victor ; de quoi ? Il ne le savait pas ; elle ne le
savait pas non plus ; et c'est parce qu'elle n'accusait
de rien qu'elle était aussi diffuse, aussi prégnante,
aussi accusatrice. L'angoisse de cette femme l'étouffait. Elle l'étouffait parce qu'il l'aimait.

Il était temps de briser ce silence.

Elle attendait.

Il lui apprit son départ pour le lendemain. Elle
s'affaissa, le temps d'une seconde, et se ressaisit aussitôt. Suzanna avait l'habitude de concevoir sa vie
comme un destin, de croire en une fatalité tragique ;
au fond, elle était prête à tout accepter de la part de cet
être survenu subitement dans sa vie ; capable de mourir comme de renaître, capable de tricher avec la
société qui l'avait pourtant accueillie, capable de trahir les siens. Il devait enfin partir ; la catastrophe était
là. Victor partait. Cette phrase était sans appel. Cette

heure devait arriver, depuis le début ; il ne le lui avait jamais caché. Jamais elle n'avait autant haï la France. Jamais elle n'avait eu autant besoin de lui. Il parlait sans cesse ; son monologue devenait insupportable. Elle ne voulait pas l'entendre, elle ne voulait pas comprendre. Elle mit toute sa force à croire qu'elle rêvait, mais elle ne rêvait pas : il partait.

Suzanna se redressa, digne, hautaine dans sa souffrance. Elle demanda au jeune homme, d'un ton ferme, s'il avait décidé quoi que ce soit quant à leur amour. Victor se livra à son tour à des déclarations sans fin ; il n'était pas question de séparation définitive ni trop longue : il avait besoin lui aussi de la voir, souffrait de la quitter, mais y était obligé. Ces va-et-vient étaient le prix de leur amour. Victor était français ; sa vie était là-bas. Il lui serait fidèle, à sa manière ; elle devait l'être aussi ; son mari, ses enfants, ses parents, frères et sœurs, lui feraient bientôt oublier le jeune homme qu'elle avait rencontré au cours d'un automne romantique. Suzanna se révolta contre ces propos. Pour qui la prenait-il ? Comment osait-il douter ? Elle attendait de Victor les déclarations qui mettraient fin, le temps d'une nuit, à ses doutes et à ses peines. Il les lui offrit. Ils se couchèrent tard dans la nuit ; elle se blottit contre lui. Victor aimait passionnément, mais cette passion ne correspondait plus à ce qui lui était nécessaire. Le savait-il ? Leur nuit fut agitée de rêves obscurs.

30.

Ce n'est que la veille de son départ que Victor reçut une longue lettre d'Agathe. Lorsqu'il reconnut l'écriture sur l'enveloppe, le rythme de ses battements de cœur s'accéléra à une vitesse qui l'obligea à s'asseoir un moment, pour reprendre son souffle. Il avait fini par craindre quelque chose : un éloignement volontaire, une rupture radicale, un départ hors de France avec un homme qu'il ne connaissait pas ou, pire, qu'il connaissait ; mais parmi ces nombreuses possibilités, il avait toujours écarté celle de l'accident, de la maladie, qu'ils fussent ceux d'un être cher à Agathe, ou qu'ils se soient attaqués à la jeune fille elle-même. Qu'il arrive quoi que ce fût à Agathe relevait de l'inconcevable : elle représentait tout ce qu'il y a de plus solide, de plus vivant, de plus sain. Si cette idée avait parfois pu effleurer la pensée de Victor, il s'en était aussitôt débarrassé, comme une sorte d'insulte. Enfin, elle écrivait : il avait raison de rejeter au plus loin de sa pensée l'idée même de la mort. Et pourtant, lorsqu'il lut l'adresse écrite de la petite main svelte et hâlée, aux ongles ronds et roses, il en ressentit un soulagement que seule une pensée morbide antérieure aurait pu justifier.

Une fois qu'il eut repris son souffle, Victor déchira l'enveloppe, les mains tremblantes : pourquoi tant de crainte ? Victor avait peur ; il avait seulement besoin de se retrouver, et se retrouver signifiait retrouver Agathe. Il espérait avec violence que le contenu des nombreux feuillets de la lettre ne lui enjoigne pas de rester plus longtemps, aussi craignait-il un aveu direct ou indirect, à l'intérieur de ce petit carnet à l'écriture serrée et, lui semblait-il, encore un peu tremblante, comme celle de la précédente lettre. Il fallait commencer de lire. Son corps était tout entier tendu vers l'encre noire et légèrement penchée sur la droite, les lettres un peu pointues, petites, sans ratures.

Cher Victor,
Peut-être as-tu attendu cette lettre qui tardait à venir ; peut-être ne t'es-tu pas aperçu de mon silence ; ce que je préférerais. (Que signifiait cette fin de phrase ? Évidemment, il s'était inquiété. Ces premières lignes accrurent son angoisse.) *Je t'ai écrit un mot, il y a quelques jours, très succinct, je l'avoue, pour que tu ne puisses y comprendre quoi que ce soit ; je t'en demande pardon, mais n'avais pas la force de donner des explications plus détaillées ; en outre, j'attendais moi-même des précisions, sans lesquelles je ne pouvais que t'inquiéter outre mesure. Cela doit encore te paraître énigmatique, mais il n'est pas facile d'annoncer qu'on a eu un grave accident de cheval, alors que je n'étais pas sûre, il y a une heure encore, de ne pas sortir définitivement paralysée ; aussi puis-je maintenant t'envoyer le petit journal que je tiens pour toi depuis que je me suis réveillée. Il*

*t'apprendra mon accident comme son heureuse issue
(heureuse, mais qui laissera peut-être tout de même
quelques séquelles).*

Victor laissa tomber la lettre et ouvrit le petit cahier
qu'Agathe avait joint à son courrier.

Journal d'Agathe (hôpital Saint-Paul)
*Je devais participer à un concours hippique auquel
m'avait inscrite, avec mon accord enthousiaste, Cécilia. Toujours est-il que je me suis entraînée de nombreux jours, à la ferme, sur un jeune cheval un peu
fougueux, qui n'a pas beaucoup de métier, et qui n'en
aura peut-être jamais. Lorsqu'elle m'a proposé de
concourir, j'étais folle de joie, renouant avec
d'anciennes habitudes qu'il me coûtait d'avoir perdues. J'en rêvais la nuit, espérant retrouver les
moments que je croyais oubliés. Je ne sais pas si tu
peux imaginer à quel point des odeurs, des bruits de
foule, des sensations, des transpirations peuvent
investir des souvenirs. J'ai toujours adoré concourir,
autant pour la compétition en elle-même que pour les
ambiances de concours, qui souvent durent deux,
trois journées. Je ne t'en ai jamais beaucoup parlé ;
on ne comprend pas les jouissances de l'équitation
quand on ne les a pas vécues, et cela appartenait déjà
à un passé révolu, que j'ai cru pouvoir ressaisir à
cette occasion. J'ai dû y investir trop d'espoirs, trop
de désirs, et transgresser les limites de ce dont il est
permis de se souvenir. Il me paraît normal et nécessaire d'éprouver de la joie à revenir sur ses traces ;
mais il s'agit là de quelque chose de différent ; j'ai
cru par ce biais pouvoir réellement revenir en
arrière ; et je me suis mise à rêver d'Antonio, d'une*

manière morbide ; non pas tant dans les représenta-
tions de mes rêves, mais dans la sensation que j'en
éprouvais au réveil. Je me lovais de plus en plus dans
ce qui, je crois, était une véritable régression, et en
tirais une jouissance dont j'aperçois aujourd'hui
toute la dimension malsaine. Quoi qu'il en soit, j'ai
passé d'excellentes journées à la ferme, et t'en
raconterai d'autres détails amusants ou importants.

Tout est ma faute. Je suis allée trop loin, m'identi-
fiant finalement à mon frère. Lorsque je courais vers
cette barre, je n'ai vu que son sourire, un sourire qui
m'accueillait, un sourire qui me conviait à le
rejoindre ; j'étais fascinée et paralysée à la fois ; le
monde extérieur s'était évanoui ; mes oreilles se sont
fermées et mon corps a cessé d'exister ; je l'ai rejoint.
Et cet état d'inconscience m'a poursuivie jusqu'à ce
qu'on me tire du coma, un jour plus tard ; le temps de
le retrouver, on m'en séparait déjà. Mais ce n'était
pas lui, et je désirais m'enfuir ; cette fuite m'a
conduite à la réalité, à nouveau, vers mon père, ma
mère qui était aussi présente, Cécilia, et vers toi.
Hadrien m'a rendu visite à la première heure, et il
reste à mon chevet. Je n'ai jamais été autant entourée,
c'est un rêve. Et je pense à toi plus que tout.

Pour décrire plus précisément ce qui s'est passé, et
dont je me souviens, voilà quelques faits ; saute-les,
s'ils ne t'intéressent pas, mais ils seront peut-être plus
explicites que ce récit fragmentaire. J'étais en train
de préparer le cheval au paddock ; le temps m'était
compté, et bientôt la sonnette allait m'appeler sur le
terrain du concours ; le cavalier précédent achevait
son parcours. J'avais à peine entraîné la bête plus
anxieuse que jamais. Mais je l'étais aussi, et l'ai pré-
cipitée avec agressivité sur le dernier obstacle que

Cécilia m'avait conseillé de passer; il fut de trop : le cheval, trop rapidement jeté sur la barre, s'entremêla les pattes et s'effondra violemment à terre, la tête la première, me projetant contre un sable dur et hostile. Immobilisée, hébétée, n'ayant comme seule vision qu'un ciel bleu rempli de figures inquiètes, quelques bustes penchés sur moi, des voix, des cris, des conciliabules, l'appel d'un médecin, le goût du sang caillouteux dans le nez, dans ma bouche, glacée et humide, rigide sur ce sol froid comme de l'acier, j'attendais, indifférente à ce remue-ménage, comprenant vaguement, dans une semi-conscience, que c'était moi qui gisais à terre, peut-être paralysée, peut-être défigurée; à vrai dire, je ne ressentais pas grand-chose, sinon une douleur lancinante sur le visage et dans le dos. Je ne pouvais plus bouger. On me raconta plus tard qu'on avait exigé que les pompiers interviennent, munis d'un brancard « coquille », ce que les ambulanciers du concours n'avaient pas; je dus attendre plus longtemps, tandis qu'un médecin de fortune m'auscultait. Il me parlait, je crois m'en souvenir. Mais j'étais trop loin pour pouvoir lui répondre. Je ressentais quelques picotements gênants; aussi évacuais-je aussitôt la pensée qui me ramenait à mon corps; il souffrait, c'était indéniable; mais je ne voulais rien de tout cela qui me promettait les affres de l'hôpital. J'allais bien; on devait me laisser tranquille, fêter mes retrouvailles avec Antonio. J'étais anesthésiée par la violence du choc; lorsque j'entendis quelqu'un annoncer que mon nez était cassé, j'eus assez de lucidité pour y porter aussitôt mes doigts engourdis et palper un volume inattendu et informe, dont l'horreur s'estompa vite sous la menace que proférait le médecin, d'une frac-

ture des vertèbres ou je ne sais quelle guillotine qui transforme en un rien de temps votre vie, celle-là même qui n'avait pas encore véritablement commencé.

Une autre angoisse me saisit, à travers le flou qui embrumait mes sens comme ma conscience ; où était mon père ? Qu'avait-il vu ? Que savait-il de mon état que je ne préférais pas savoir ? Il ne pouvait se douter que j'étais avec Antonio ; seul, sur l'autre rive, je l'avais abandonné au bord du terrain, le cœur serré en voyant s'achever le treizième parcours, attendant mon entrée en piste. Il n'a jamais complètement surmonté son angoisse lorsque je participais à une compétition, et cette crainte omniprésente le poussait en même temps à rester à mes côtés, comme s'il pouvait me protéger de quelque chose, alors qu'il ne faisait qu'accroître son anxiété. Je n'ai jamais pu supporter son regard apeuré, les quelques minutes avant de monter en selle, et je suis toujours parvenue à l'éviter jusqu'à la fin du parcours, pour le retrouver enfin serein, joyeux comme un enfant. À cette heure, tandis que ses pires angoisses se concrétisaient, comment pouvait-il se comporter ? Parvenait-il à surmonter l'horreur de la scène ? Gardait-il son calme, comme à son habitude, ou avait-il cédé cette fois à une impulsion plus forte que lui, une impulsion qu'il avait déjà subie, lors d'une autre mort, lors d'une première mort ; et cette mort allait-elle être suivie d'une seconde ? Soudain, je pris conscience, enfermée dans mon halo, que je devais revenir ; mon père m'attendait ; mon père était peut-être là qui souffrait, me regardait, étendue et inerte, les cheveux emmêlés de sang et de sable, un visage de la même couleur, pâle, hâve, les veines bleuâtres, se vidant par le nez.

Cette vision, j'aurais voulu ne jamais la lui offrir ; mais elle était là, et désormais je devais réparer ce que je lui avais fait subir, malgré moi, paralysée au sein d'une inconscience maternelle, qui me retenait entre ses griffes. Je ne pouvais l'appeler de là ; j'aurais voulu crier, lui tendre des bras immobiles, au moins lui sourire. Mais je ne le voyais pas, l'imaginais seulement, auprès de moi, silencieux et efficace, donnant quelques ordres au médecin, s'imposant une maîtrise inhumaine, dissimulant sa nervosité, envahissant de sa présence le paddock, le terrain de concours, l'air même.

Quant à ma mère et à Cécilia, elles se profilaient en ombres chinoises, derrière la silhouette imposante de mon père ; je pensais à elles, aussi, pouvais imaginer leur folle inquiétude, leurs sueurs, leurs tremblements... Cécilia qui allait la prévenir, l'appartement dans lequel vivait ma mère, gonflé d'un ancien bonheur familial, qu'elle pensait pouvoir retrouver le jour de notre retour à Paris, et qui se métamorphoserait en antre de l'angoisse, en prison de nouveaux tourments, éveillant d'autres mauvais souvenirs. Ces femmes qui avaient habité, édifié mon enfance, après avoir perdu celui qu'elles aimaient, et reporté sur moi leur affection, étaient soumises à nouveau au danger d'une séparation sans retour, d'une séparation qui les aurait mutilées de leur dernière raison d'être. Ces femmes, je les aimais et, pour cette seule raison, je me devais de rester en vie.

Mon père me rejoignit ; cette fois, je sentais sa présence à mes côtés, son souffle proche de mon visage, et qui devait me murmurer des mots de réconfort ; il m'accompagnait, dirigeant les pompiers enfin arrivés et qui m'avaient hissée sur ce brancard qui prit aussi-

tôt la forme de mon corps, le serrant comme du béton coulé, qui m'immobilisait ; je fus montée dans l'ambulance, me laissant porter, sans aucun geste de rébellion ; j'essayais de toutes mes forces de manifester à mon père la lucidité que personne ne semblait remarquer, et qui n'était réprimée que par le silence inexorable qui s'était imposé à moi ; un silence que je ne parvenais pas à briser, malgré le désir grandissant du fond de ma gorge d'émettre quelques sons. Tout se mit en branle ; l'ambulance s'échappait de la foule des badauds, ameutée par l'accident ; j'avais le sentiment d'être au centre d'une scène, mais dont je n'avais pas conscience ; un fourmillement autour de moi, puis plus rien, l'intérieur blanc d'un large coffre de voiture, mon père qui me tient la main, les yeux graves, tiraillés entre la peur et la volonté de rassurer. Je faisais confiance à sa capacité d'affronter avec sérénité toute sorte de catastrophes ; il n'était jamais aussi calme que dans les cas d'urgence, les drames, les épreuves, mais je sentais aussi, sous ce front soucieux, la profondeur d'une souffrance creusée depuis longtemps, et qui se réveillait abruptement.

Ma mère aussi savait se montrer forte dans les instants les plus déstabilisants. Elle en avait connu. Je me souvenais d'elle, avant qu'elle ne tombe en dépression, éduquant avec fermeté mon frère, et traitant sa maladie comme un événement naturel, dont il ne fallait pas se plaindre, qu'il ne fallait pas redouter, mais seulement subir, comme tout ce qui survient dans une vie, et que l'on ne contrôle pas ; elle le réprimandait presque lorsqu'il se laissait trop aller à ses plaintes ou à ses faiblesses ; et c'est grâce à elle qu'il put surmonter à de nombreuses reprises sa timidité maladive et son enfermement. Je pensais à mon frère, à ma mère, à *cette époque révolue que je ressuscitais, par une folie subite ; que ne leur avais-je pas imposé ! Je la revoyais, en héroïne de tragédie, dans les moments les plus délicats, en femme impulsive dans les autres ; au quotidien, elle se révélait différente, et c'est sous ce jour qu'elle m'apparut, dans les brumes de mon esprit ; elle meublait notre vie de ses colères sans retenue, de ses jugements succincts et désinvoltes, de la précarité de certaines réflexions blessantes sous lesquelles elle faisait passer une affectivité incontrôlée : elle laissait s'exprimer instincts et pulsions, minée par une éducation farouchement idiote et masochiste, que pérennise la bourgeoisie catholique, qu'elle soit française ou d'Amérique latine, par esprit de vengeance contre sa propre sécheresse. Ma mère reçut ce type d'éducation, et pourtant, sans en sortir indemne, elle parvint à briser le cercle sans fin de l'aliénation par la souffrance et la mesquinerie. J'ai toujours été persuadée que c'était mon père qui lui avait permis de s'émanciper ainsi ; mais en réalité, elle devait déjà avoir fait un long chemin avant qu'il ne la rencontre et s'attache à elle, au point de lui faire deux enfants. Maman pensait faire partie de ceux qui raisonnent, tandis qu'elle est de ceux qui sentent ; artiste de nature, elle s'est voulue intellectuelle ; étrange paradoxe que cette femme qui cache ses talents pour cultiver dans un leurre la raison, dont elle ne fut jamais la maîtresse ; pourtant, dans ces moments difficiles, je savais qu'elle aurait le courage ou la force d'affronter sans détour les vérités et les souffrances, accueillant sans broncher le destin quand il prendrait la forme des larmes ; elle savait les sécher de sa main douce aux longs doigts, cette main que l'on rêve de tenir chaque fois que le malheur s'abat. Mais c'est aussi cette femme qui s'était murée dans un silence terne, aussi long que le mien, après la mort de mon frère, redoublant d'autres silences dont je ne saurais rien ; c'est aussi elle qui ne sut m'arracher à la neurasthénie, parce qu'elle en était la première victime ; toutes ces images paradoxales, ces jugements que j'avais souvent portés sur elle, me revinrent à l'esprit, en l'espace d'une seconde ; et comme un générique, ma vie était là, devant moi, dans sa totalité.*

Tandis que l'ambulance m'emportait, que mon père était assis à mes côtés, je songeais à tous les membres de ma famille, avec l'affection de celui qui s'en va ; j'aimais chacun de leurs défauts, parce qu'ils les rendaient plus vivants que les perfections dont ils étaient aussi pourvus. Ils défilaient devant moi, guirlande d'êtres chers qu'il me semblait avoir quelque peu négligés, alors qu'ils constituaient le fondement, les racines de mon être ; j'allais leur faire de la peine en les abandonnant ; les revoir ainsi, dans leur transparence, me fit couler deux larmes ; je le sais pour avoir senti la main de mon père les chasser d'un revers. Je ne pouvais pas quitter ce monde ; trop de personnes m'y tenaient prisonnière.

Dans l'ambulance, papa prononçait des mots doux, des mots de réconfort ; je devinais à son port hautain, sa fierté, qu'il souffrait plus que moi, et qu'il portait en outre, avec tenue et pudeur, l'ambiance mortifère qu'allait être celle de la maison, lorsque Cécilia aurait rejoint ma mère à Paris, pour lui annoncer l'accident, et l'accompagner en voiture jusqu'à l'hôpital, attendant le coup de téléphone de mon père, sans savoir si elles le désiraient ou l'appréhendaient. Papa m'expliquait que Cécilia était allée chercher ma mère, qu'il ignorait si l'hôpital dans lequel on m'emmenait était bien, et qu'il en changerait peut-être. Ces mots n'avaient pas beaucoup d'importance pour moi; je les entendais d'une oreille; ils évoquaient seulement la souffrance que j'avais infligée à des personnes aimées.

Lorsque nous sommes arrivés à l'hôpital, je crois que papa a tenu à voir un docteur; je sais qu'il s'est absenté quelque temps, éprouvant le vide de son absence comme une angoisse supplémentaire; s'il me quittait, je ne pourrais pas me battre pour rester. Bientôt pourtant, il fut à nouveau à mes côtés; on avait dû me mettre dans un lit; une chambre sombre; papa parlait encore; il avait appelé un médecin de nos amis, en qui il avait une totale confiance; il allait arriver. Nous étions seuls; j'apercevais à travers des limbes le visage défait de mon père, mais tenu par une volonté sans faille, celle qui modèle les traits au gré des convenances. Il me reprit la main, de sa grande paume lisse et sèche, ridée comme les linéaments d'une esquisse, harmonieusement tachée de brunes ombres, chaude et rassurante, carrée et massive. Je la connaissais par cœur, pour l'avoir observée, à son insu, lorsqu'il me chantait des comptines pour m'endormir. Ce n'est qu'au bout d'un jour et demi que je repris complètement conscience; il me semblait avoir dormi des semaines entières. Lorsque j'ouvris les yeux, maman, Cécilia, Hadrien étaient à mon chevet; ils me regardaient intensément; je leur souris. On appela mon père dans un cri; il était juste à côté, et se précipita; tous contenaient leur émotion, et je voulus pleurer en lisant l'angoisse qui sculptait leur visage fatigué; pourtant, ils étaient éclairés par la joie; nous avons vécu de vraies retrouvailles.

On me fit subir de nouveaux examens. Personne ne pouvait m'informer précisément sur mon état; on ne me mentait pas; mes parents en auraient été inca-

pables. On n'était tout simplement pas au courant, et il fallait m'examiner. On vint me chercher pour les radiographies : heure de vérité, sueurs froides, je ne pouvais m'empêcher d'envisager les pires consé-quences, elles pesaient sur moi comme l'épée de Damoclès. J'entrais, toujours couchée, n'apercevant du décor que le plafond, des êtres que des visages sur des épaules blanches, penchés sur moi, mais sen-sible à la froideur des machines en acier, qui conte-naient le secret de mon avenir : entre deux vies, celle d'avant, heureuse, amoureuse, travailleuse, sportive, celle d'après, inconnue, mais grosse de bouleverse-ments. J'étais sans être : couloirs interminables, inter-sections de vie, qui voient défiler les grandes transitions ; passages de la vie à la mort, d'une vie à une autre, d'un corps à une mutilation, d'un masque à un squelette. Je voguais dans cette ignorance de mon être futur. Des minutes s'écoulèrent. Je revenais dans ma chambre où mes parents avaient élu domicile. Le médecin entra, de grandes photos noires sous le bras ; je savais que je n'étais pas paralysée puisque je sentais chacun de mes membres ; mais je pouvais avoir de graves séquelles ; il m'annonça un tassement de ver-tèbres, par conséquent une douleur dans le dos qui me poursuivrait ; la paralysie partielle comme toute opé-ration chirurgicale étaient définitivement écartées. Certes, j'ai le nez cassé ; la petite bosse que j'en garde-rai ne se verra qu'à peine. J'ai l'arcade sourcilière fendue ; on m'enlèvera les points dans quelques jours ; mon visage est gonflé, tuméfié, mes yeux cerclés de larges ronds noirs. J'ai du mal à me mouvoir ; on me transporte en fauteuil roulant, et je ne pourrai récupé-rer l'usage de mes jambes comme de mon dos que dans quelques semaines ; je ne pourrai plus faire de cheval pendant six mois.

Mais la tempête est passée. Mes parents ne se lassent pas de se réjouir. Les visites dorénavant se succèdent ; je quitterai l'hôpital dans une semaine ; papa et maman me garderont à la maison ; je redeviens petite fille. Ne pouvant bouger, je ne parviens pas à dormir, et pressens ce que peuvent vivre les paralytiques.

Le journal s'arrêtait là et Victor lut la fin de la lettre.

Comme tu le verras, j'ai frôlé la mort, en ai effleuré le parfum. J'avais besoin d'écrire ces mots, pour m'en débarrasser ; et c'est à toi que je les adresse.

Je serai chez mes parents dès la semaine prochaine. En attendant, je resterai à l'hôpital Saint-Paul, à cinquante kilomètres de Paris ; je joins à cette lettre l'adresse exacte ; j'ai hâte de te voir, mais peux encore attendre quelques jours, le temps que tu prépares ton départ. En outre, il faudra un peu d'abnégation de ta part pour supporter la vue d'un visage déformé. Je t'embrasse, mais tes lèvres me manquent.

Agathe.

Victor partit le soir même. Il passerait peut-être toute la nuit à voyager, entre le ferry et les changements de train ; mais il lui fallait voir Agathe dès le lendemain. Sa lettre l'avait abattu ; il prit conscience qu'elle aussi était mortelle. La perdre, c'était envisager sa propre mort ; des remords commencèrent à prendre forme, qu'il chassa aussitôt.

31.

Victor avait envie de pleurer et riait à la place ; lorsqu'il fermait les yeux, des images de sang envahissaient son paysage ; nerveux, les mains tremblantes, il n'essayait plus de se cacher qu'il avait peur, même après coup. Il était seul dans ce wagon glacé et songeait à Agathe ; déjà, les traits vifs et gracieux, les traits forts de ce visage hâlé, s'estompaient au profit d'une figure tuméfiée qui ne correspondait en rien à celle qu'il avait laissée, plusieurs semaines auparavant. Il ne retrouvait plus l'image d'Agathe, et cette amnésie momentanée suscita une angoisse croissante jusqu'à la frontière anglaise. Elle lui semblait inaccessible. Après des minutes d'attente sur le quai, il embarqua sur le ferry ; le vent glacé lui fit du bien ; il s'assoupit quelques instants sur les banquettes bleu violet du bateau. Dans le train qui le menait à Paris, il put vraiment s'endormir, d'un sommeil troublé et noir. En arrivant chez lui, épuisé, mais tenu par l'angoisse, il prit un taxi, au mépris de l'argent que lui coûterait une course de deux heures, pour l'hôpital Saint-Paul dont il ignorait les heures d'ouverture ; les urgences seraient de toute 'façon ouvertes ; il devait être trois heures du matin ; le chauffeur avait eu l'exceptionnelle bonté d'accepter cette course après quatre refus de ses collègues.

Il n'avait plus la force de regarder sa montre ; d'ailleurs, il avait perdu le sens du temps. La voir, la toucher, lui semblait encore extraordinaire. Victor se sentait dépourvu, vidé, creux ; comment avait-il pu supporter cette absence ? Il trouvait son comportement de plus en plus absurde ; Suzanna lui était chère, et l'amitié d'Helen importante ; pourtant, sa vérité n'était pas là.

La voiture roulait ; le bruit du moteur berçait les images qui défilaient au fond de son cerveau ; le chauffeur silencieux, la route sinueuse et défaite ; les trous et les bosses, les gravillons, la terre ; personne aux alentours ; parfois quelques maisons isolées ; l'humidité montante, la buée sur les vitres.

Le temps s'était arrêté. Il était là. La nuit entourait un édifice blanc sous la saleté, qui soudain, après ces kilomètres de campagne et de silence, semblait contenir de la vie ; ironie du sort, c'était un lieu de mort, aussi ; nuit, jour, vie, mort, tout cela se confondait... Mais ici, la maladie régnait ; elle s'était emparée du quotidien, des corps, et même des familles ; l'odeur indéfinissable commune à tous les hôpitaux s'échappait de l'entrée centrale ; seules les urgences semblaient animées ; une partie des bâtiments dormait, l'autre s'activait, dans un monde fantomatique, éclairé par la lumière artificielle, qui tombait d'un ciel bas et bleuâtre, s'écaillant ici et là ; on chuchotait, on emportait des brancards, on dormait à moitié, on buvait du café en fumant des cigarettes ; on discutait dans un demi-silence qui caractérise le monde de la nuit, sans bruit de fond, ni celui des voitures au loin, ni celui des villes prochaines.

L'angoisse de Victor s'était apaisée. Il n'était pas
sûr d'avoir le droit de rester ; mais peu lui importait ; il
avait renvoyé le taxi ; isolé dans cette campagne solitaire, au milieu de laquelle trônait l'hôpital Saint-
Paul, la réalité s'était abolie ; Agathe devait dormir,
mais il était près d'elle. Il avançait, somnambule ; on
ne l'arrêtait pas ; sa démarche était sûre ; il marchait
droit ; soudain, on l'interpella ; une femme, grosse,
matrone, une infirmière en blouse blanche ; la voix
rauque l'éveilla à moitié ; où allait-il ? Il ne le savait
pas exactement ; quelqu'un l'attendait ; son discours
n'était pas tout à fait cohérent ; il tenta d'y mettre de
l'ordre. Il n'était nulle part, entre France et Angleterre, entre deux vies ; on lui redemandait ce qu'il faisait là à cette heure ; se sentait-il mal ? Il avait déjà
dépassé les urgences ; on pouvait s'occuper de lui ;
peut-être le prenait-on pour un fou, un amnésique ; il
était un peu tout cela à la fois ; sa mémoire
s'embrouillait ; des visages se confondaient. Non, il
cherchait quelqu'un, quelqu'un qui avait eu un
accident de cheval. Mais enfin, savait-il l'heure qu'il
était ? S'il ne répondait pas adroitement, il serait renvoyé ; il devait voir Agathe. Il aurait aimé arriver plus
tôt, expliqua-t-il ; mais il était à Londres lorsqu'il
avait été prévenu de l'accident de son amie ; il lui fallait absolument la voir ; l'infirmière se laissa ama-
douer ; cependant, les horaires des visites étaient assez
stricts ; elle ne pouvait l'autoriser à rester là, ni réveiller la jeune fille. Il pouvait seulement tenir compagnie
aux infirmières de nuit, ou se reposer dans une salle
d'attente. La grosse femme réfléchit et l'entraîna. Il
put se réchauffer dans la salle de garde ; il était maintenant six heures du matin ; il n'aurait pas à attendre
beaucoup ; elle pouvait même lui prêter un lit de

camp. Deux femmes discutaient ; une BD traînait ; il prit part à la conversation, s'allongeant sur la couverture grise et trouée ; les deux jeunes femmes se plaignaient de malades capricieux ; au bout de deux minutes, il dormait comme un enfant, bercé par les voix lancinantes qui murmuraient des plaintes. Une heure plus tard, il fut réveillé par le changement de service ; enfin, il allait voir Agathe, le corps tremblant de sommeil, froissé, la tête embuée de rêves à peine achevés, les yeux piquants et rouges.

On lui fit monter trois étages ; il longea un couloir, croisant quelques personnes, des médecins, des malades aussi, en fauteuil roulant, traînant un goutte-à-goutte, un vieux monsieur, en robe de chambre, qui ne semblait pas savoir où il était. Chambre 308 ; elle devait dormir. Devant la porte, il s'arrêta un instant. Alors, il sentit sa présence.

C'est une jeune fille au visage tuméfié, les yeux jaunes cerclés de larges bandes noires, anormalement gonflés, les cheveux tirés ; c'est un corps étendu, mince sous le drap et la fine couverture, esquissant des courbes qui l'émurent ; c'est une femme meurtrie, qui lui apparut, dans une illumination de joie ; la surprise puis l'enthousiasme se peignirent sur son visage ; comment était-il arrivé jusqu'ici, aussi rapidement ? Elle ne l'attendait pas aussitôt, et pourtant l'espérait secrètement, avec une impatience qui lui donnait des picotements dans les jambes, en même temps que ses muscles fondaient, la clouant sur ce lit étroit, dans lequel aucun autre corps ne pouvait se glisser ; alors que lui manquaient tant la chaleur d'un torse, de jambes robustes, la caresse d'un dos qui vous frôle en se retournant pour s'abandonner au sommeil, l'effleurement d'un bras ou d'une épaule, le souffle d'un baiser, le frottement d'une joue mal rasée ; elle s'était rendu compte qu'elle ne pouvait plus vivre sans ces sensations ; elle ne supportait plus son corps inactif dans la souffrance, immobile dans son inconfort ; il lui semblait qu'elle ne savait plus penser depuis qu'elle ne bougeait plus ; elle passait ses journées à se réjouir de sa résurrection, mais ne pouvait encore en jouir ; maintenant qu'il était là, peut-être pourrait-elle retrouver un peu les plaisirs d'une vie physique délaissée ; un simple geste de tendresse ; elle en avait tellement rêvé ; Hadrien n'osait pas la toucher, de peur de la blesser ; ses parents la cajolaient souvent ; elle adorait ça ; pourtant ils se recueillaient aussi derrière une pudeur qu'elle partageait ; les effusions n'étaient pas leur fort ; un sourire valait une confession.

Enfin il était là, elle allait peut-être se sentir revivre complètement. Agathe débordait de bonheur ; l'arrivée impromptue de Victor ne cessait de l'étonner ; nulle surprise n'aurait pu lui faire autant de plaisir ; l'imprévu de la vie reprenait le dessus ; elle se sentait un peu libérée du rythme régulier de l'hôpital, auquel elle ne parvenait pas à s'habituer ; beaucoup d'amis étaient venus de Paris, mais elle ne désirait pas les voir ; ses yeux gonflés et noirs de sang n'avaient rien d'attirant ; elle préférait ne pas s'exhiber ; aussi avait-elle fait savoir qu'elle désirait remettre à plus tard les visites. Seuls ses parents, Cécilia et Hadrien avaient le droit de lui rendre visite ; ce resserrement de sa vie sur les êtres dont la présence lui était essentielle ne lui déplaisait pas ; à vrai dire, elle en tirait même un profond bonheur, comme si elle s'approchait chaque jour du sens de son existence, de sa justification. Pourtant, l'absence de Victor ne lui avait pas permis d'atteindre la sérénité ; en outre, l'immobilité commençait de lui peser ; elle aurait voulu marcher, courir, danser, s'essouffler, boire et manger ; la nourriture à l'hôpital était infecte ; son père lui apportait en douce des gâteaux, et du fromage qui, sans vin, en perdait son goût. Elle racontait n'importe quoi à Victor, et s'en excusait ; il fallait bien que son enthousiasme se déverse d'une manière ou d'une autre. La parole se substituait toujours aux larmes, quand elle était submergée par l'émotion ; Victor le savait, et son émotion à lui ne pouvait se manifester que par un tremblement incontrôlable de son bras droit dû à la pression la plus forte possible de la petite main aux doigts si délicats ; il aurait voulu la serrer jusqu'à l'en étouffer. Ils se parlèrent des heures durant, sans rien se dire ; Victor ne put lui raconter l'Angleterre, non par dissimulation, mais simplement parce qu'il avait tout oublié. Agathe était là, si présente qu'elle prenait la place de tout le reste.

Ce n'est que deux heures plus tard que son père frappa à la porte, informé de l'arrivée d'un visiteur. Lorsqu'il vit Victor, son visage s'illumina ; il le serra délicatement dans ses bras ; le monde se reformait à nouveau autour d'Agathe ; bientôt elle sortirait de l'hôpital, et tout redeviendrait comme avant. Victor, dans ce lieu qui lui avait semblé désincarné, se sentit à nouveau chez lui. Il s'était retrouvé.

La mère d'Agathe arriva peu après ; Cécilia la suivit de près ; Victor se sentait bien ; il espérait juste ne pas voir arriver Hadrien, garder plus longtemps la jeune fille pour lui. Elle était encore belle sous le noir violacé de ses yeux ; elle était encore sensuelle, sous ses draps fins ; sa peau n'avait pas perdu de son hâle, bien que sa couleur fût affadie par le néon de la chambre et l'immobilité qui lui donnait un teint marbré ; pourtant, les tons roses et bruns semblaient prêts à s'éveiller au premier appel ; ils bouillonnaient, refoulés par l'air artificiel dans lequel Agathe était enfermée depuis près d'une semaine. Victor fut repris du vertige qu'Agathe provoquait souvent ; il ne pouvait plus sortir de la chambre sans éprouver une angoisse de mort, de perte, de déchirure. Aussi restait-il à son chevet, imperturbablement, lui tenant la main, caressant le creux de son bras, son visage, ses cheveux. Lorsque les parents étaient là, ils discutaient tous autour de son lit ; elle rayonnait sous sa pâleur impressionnante. Centre de leur intérêt, elle était attirante et inquiétante, diabolique peut-être. Sa santé de jadis, sa vitalité, son volontarisme, ses excès et ses certitudes fascinaient lorsqu'ils n'effrayaient pas. Sa mère, Hadrien, Victor même, éprouvaient cette peur, mais elle était sublimée par ce qu'aucun d'eux ne savait définir et qui existait aussi chez son père. Une prescience de l'énigme des choses, une attirance pour les ténèbres, une connaissance intime des profondeurs de l'âme humaine. Agathe et son père savaient, ils étaient seuls à savoir. Leur cynisme se dissimulait derrière des excès de joie. Une exaltation aussi forte que leur enthousiasme contrebalançait cette mélancolie noire, cette haine au fond de leurs yeux, lorsqu'ils les laissaient aller, errant d'objet en objet, obsédés par une image dont personne ne saurait rien, ces yeux lumineux et opaques, qui savaient briller d'une telle force de vie. Ils avaient vu la mort, et plus loin encore que la mort.

Agathe était dure, faite de marbre, hautaine et inaltérable ; elle était aussi rieuse, gaie, enfantine. Victor avait toujours soupçonné une meurtrissure, une faille

qu'elle ne cesserait jamais de combler. Elle appartenait à un autre univers hermétique, ne partageait que
les plaisirs ; isolée et fière, elle avait pourtant accédé à
l'amour authentique ; cela, il en était sûr.

Agathe était en quête ; tant qu'elle le serait, elle
vivrait ; cette inquiétude était sa subsistance ; mais
qu'adviendrait-il lorsqu'elle aurait trouvé ? Agathe
dormait ; la chambre était vide désormais ; seul Victor
avait eu la permission de rester à son chevet ; il la
regardait respirer régulièrement, sa poitrine se soule-
vant puis s'abaissant, dans un mouvement de vague
qui aurait pu le bercer jusqu'à l'endormir s'il n'était
pas en train de réfléchir à la jeune fille qu'il ne saisi-
rait peut-être jamais complètement. C'est aussi pour
cela que Suzanna le rassurait ; elle était sa quiétude,
son amour serein et pourtant passionné ; ce fut la première fois que l'image de cette grande femme blonde
lui revint, douce, angélique ; que pouvait-elle faire,
seule, sans nouvelles ? Il ne voulait pas faire souffrir
Agathe ; elle venait d'échapper à la mort ; mais ce
serait la mépriser que de lui taire l'état de sa vie. Il
attendrait quelques jours, et lui parlerait enfin. La respiration se fit plus rapide, Agathe s'agita ; un mauvais
rêve peut-être, une hallucination, un nuage, un fantôme ; elle s'apaisa au bout de quelques secondes ;
Victor la regardait, ému de tant de beauté ; il savait
qu'il ne pourrait plus jamais s'en détacher ; c'est peut-
être de cela qu'il lui en voulait, obscurément.

32.

Au bout de deux jours, il se décida à appeler Suzanna. Pour cela, il fallait trouver un coin tranquille dans l'hôpital, où il fût certain d'être à l'abri des regards des parents ou amis d'Agathe. Elle était en train de déjeuner ; il avait faim lui aussi, et préférait s'acheter un sandwich dans le hall. Depuis ces deux jours passés aux côtés d'Agathe, il n'était presque pas sorti ; il voyait la campagne par la fenêtre, les arbres dénudés, les ciels gris ou clairs, les champs. Cet isolement lui permettait aussi d'enfermer Agathe dans les frontières de son regard. Elle était à lui, dans cette période de faiblesse ; les visites la lui arrachaient parfois ; Hadrien n'était venu qu'une fois depuis qu'il avait appris que Victor était là. Lorsqu'ils étaient à Paris, elle lui échappait sans cesse, les soirées de tous genres, les cafés, les rues, les amis, les restaurants, les livres. Aujourd'hui, elle était dans un lit blanc, sous une couverture grise qui dessinait ses formes.

Victor était dans le hall, une carte téléphonique à la main. Il s'installa dans la cabine la plus éloignée ; il lui fallait composer le code secret qui pouvait les relier. Allumant une cigarette, ses doigts frappèrent

les chiffres à la vitesse de l'habitude. Il raccrocha au
bout de deux sonneries ; puis recommença, cette fois
plus anxieux.

Ce fut une voix tremblante qui répondit, une voix
imperceptible, qui chuchotait des mots inintelligibles.
Suzanna avait reconnu le code d'appel ; blême, elle
s'était immobilisée à côté du téléphone, demandant à
ses enfants qu'ils la laissent tranquille ; devant le
visage bouleversé de leur mère, ils n'avaient pas
insisté ; et elle était restée seule, regardant obstinément le combiné. Deux jours seulement la séparaient
de Victor, et pourtant il lui semblait l'avoir perdu. La
sonnerie qui devait résonner dans la pièce se faisait
attendre ; il s'agissait peut-être d'une erreur, d'un faux
numéro, d'une farce ; le silence qui précéda le second
appel la plongea dans une angoisse qui perla sur son
front immobile et livide. À nouveau, la sonnerie ; elle
décrocha aussitôt, sa main tremblait.

Lorsqu'elle entendit la voix de Victor, elle ferma
les yeux, et un flot de bonheur l'envahit avec la même
violence que le sang s'était retiré de ses veines, quelques instants plus tôt. La voix grave grésillait au loin,
dans une contrée maudite, séparée par une mer qu'elle
se représentait noire et morbide ; la voix était chaude
et lointaine. Victor parlait ; il ne l'avait pas oubliée ;
elle ne l'avait pas perdu. S'il n'avait pas pu l'appeler
auparavant, c'est qu'il avait appris qu'une de ses
amies avait eu un accident ; il s'était rendu immédiatement à son chevet ; l'hôpital se trouvait hors de Paris,
il faudrait qu'elle s'habitue à une fréquence moins
régulière de leurs appels téléphoniques ; elle devait
apprendre de son côté à supporter le temps et
l'espace ; il avait quitté une vie déjà chargée pour
s'octroyer ces semaines londoniennes ; une fois ren-

tré, cette vie le sollicitait à nouveau ; l'aimer ne signifiait pas abandonner le reste de son existence. Victor
lui assura qu'elle lui manquait, la douceur de ses bras
le hantait, il avait besoin d'elle, et la rejoindrait rapidement en Angleterre.

Suzanna l'écoutait, pleurant doucement.

La voix de Victor, en lui assenant à chaque mot un
coup de hache dans la poitrine, pansait aussi ses
plaies ; cet état paradoxal serait désormais son lot.
Lorsqu'il raccrocha, elle s'effondra sur le tapis rouge
du salon ; la jeune femme qui gardait les enfants, au
bout d'une demi-heure, se permit d'entrer dans la
pièce interdite ; elle poussa un cri devant ce grand
corps étendu ; Suzanna en fut éveillée ; la femme
l'aida à se relever, lui prépara un thé et une aspirine ;
on la soigna une semaine ; la nuit, lorsque personne ne
pouvait la voir, elle se laissait aller à pleurer de
longues heures ; le matin, ses yeux étaient bouffis,
rouges ; parfois, elle ne pouvait les ouvrir ; le médecin
ne put rien diagnostiquer, sinon une dépression nerveuse. Suzanna se refusa radicalement à suivre un
traitement. Au bout d'une semaine, elle put se lever,
travailler, sortir. Certes, on ne la vit plus sourire pendant longtemps ; elle maigrissait à vue d'œil ; puis son
état se stabilisa ; et la vie s'immisça insensiblement en
elle, sans que personne n'ait jamais compris ce qui
s'était passé.

Victor remonta lentement les escaliers, pour échapper au huis clos angoissant de l'ascenseur. Bientôt, il
parlerait à Agathe ; plus tard, il mettrait Suzanna au
courant. Il ne pouvait garder ce secret trop longtemps,
non parce qu'il n'en assumait pas la responsabilité,
mais parce qu'il avait été admis qu'ils ne se dissi-

muleraient rien ; le principe de transparence est facilement pervers ; aussi l'avaient-ils quelque peu
réaménagé ; jamais, il ne raconterait en détail l'histoire qu'il vivait avec Suzanna ; en revanche, il ferait
part de son existence à Agathe ; cette loyauté était la
condition de leur liberté réciproque.

33.

Victor n'était pas sûr de la réaction d'Agathe. Allait-elle se mettre en colère, se taire, se renfermer, lui gardant une rancune sans rémission, pleurer, le quitter ? Ou simplement sourire, et l'encourager ? C'était encore la pire solution. Mais il n'y croyait pas.

Il avait atteint le troisième étage. D'une porte lointaine, un air de Vivaldi ; c'était Agathe, il en était sûr, qui observait par la fenêtre, en écoutant le *Stabat Mater*. Elle préférait celui de Pergolèse, mais c'était un cadeau que lui avait offert Cécilia la veille ; aussi ne se lassait-elle pas de l'écouter ; quels souvenirs ce morceau pouvait-il évoquer ? Elle semblait parfois bouleversée, parfois mélancolique. Depuis qu'il était revenu, elle avait changé ; toujours aussi séduisante, malicieuse, douce parfois, violente à d'autres moments ; mais cette tristesse qui ne quittait pas le fond de son regard, cet air douloureux qui tirait ses traits... cela était nouveau ou peut-être resurgissait d'époques antérieures qu'il n'avait pas connues. L'énigme de la jeune fille s'était déplacée ; elle avait pris la forme de la mélancolie ; et cette mélancolie lui échappait tout autant que la joie de naguère. Comment lui apprendre une nouvelle qui ne pourrait que lui déplaire, alors qu'elle traversait déjà une période de doute ?

Lorsqu'il entra dans la chambre, elle était effectivement en train de contempler les arbres décharnés ; c'est vers cet horizon qu'elle s'éloignait sans cesse, ce vide qui la fascinait ; elle se récitait des poèmes de Verlaine et de Baudelaire, ses deux poètes favoris. Il fallut à Victor la prendre dans ses bras pour qu'elle s'aperçût de sa présence. Il n'aimait pas la voir dans cet état.

En ces longues journées, elle était seule ; personne ne pouvait comprendre tout à fait ce qui se passait en elle ; Hadrien moins que tout autre. Lorsqu'il venait lui rendre visite, elle lui signifiait clairement que quelque chose devait changer et que, pour cela, il devait se tenir éloigné quelque temps. Fou de douleur, il n'acceptait pas même d'entendre ses paroles ; alors elle attendait qu'il parte, pour reprendre le cours de ses pensées.

Seul Victor aurait pu la comprendre ; il n'était compromis avec aucun moment tragique de sa vie. Pourtant, il semblait lointain, dérivant parfois au fil de ses rêveries. Elle ignorait ce qu'il avait fait à Londres ; il restait évasif sur ce sujet. Cette longue absence les avait éloignés ; des bribes de vie étaient venues s'intercaler dans le cours régulier qu'ils n'avaient auparavant jamais interrompu, des bribes de vie qui resteraient mystérieuses à chacun d'eux, et qui empêchaient pour le moment de rétablir la limpidité de la parole. Ils étaient heureux d'être ensemble, avaient du mal à se séparer. Dès qu'ils seraient rentrés à Paris, peut-être pourraient-ils à nouveau tout dire, tout comprendre. Elle attendait ce retour avec une certaine impatience, sans savoir ce que la ville lui réserverait ; les lieux familiers, lorsqu'on change de vision du monde, qu'on évolue, qu'on désire autre chose, du nouveau, une renaissance, peuvent facilement devenir insupportables.

Victor aussi ressentait l'urgence de plus en plus pressante de ce départ. Paris commençait à lui manquer ; en outre, il avait décidé de ne parler à Agathe de sa vie londonienne qu'après leur retour. Cet hôpital avait accueilli suffisamment de troubles, de craintes et de souffrances. Agathe devait retrouver ses repères, ses lieux, ses cafés, ses habitudes de vie, pour atténuer la blessure. Il lui faudrait peut-être deux à trois semaines pour remarcher normalement, et plus de trois mois pour retrouver l'usage de toutes ses fonctions. Des heures de rééducation, des mois de patience. Agathe ne parviendrait pas à rester inactive, passer des journées vides, à regarder le plafond ou le ciel, et cet accident l'acculait tout à coup à l'immobilité ; c'était peut-être cette contrainte qui la plongeait dans cet état mélancolique dont elle ne se départait que rarement.

Tous deux comptaient désormais les jours ; il n'en restait que trois ; ils avaient été heureux d'être ensemble, isolés dans cet hôpital de campagne ; désormais, ils désiraient l'un comme l'autre rentrer chez eux, retrouver leur appartement, leurs livres, les promenades au Luxembourg, à Belleville, dans le Marais.

Les trois jours passèrent. Le départ eut lieu un lundi ; l'ambulance viendrait la chercher à midi. L'excitation régnait dans la chambre. Les parents d'Agathe étaient venus ranger ses affaires ; Cécilia préparait le dîner rue Saint-Jacques où tout le monde se retrouverait le soir même ; Victor vibrait de tous ses sens, choisissant les vêtements qu'Agathe mettrait pour son départ ; celle-ci regardait tout ce monde s'agiter autour d'elle, heureuse, mais en retrait. Cette joie qu'ils manifestaient tous, il lui semblait qu'elle mettrait du temps à la retrouver telle quelle, pure de toute arrière-pensée, de toute trace de tristesse ; elle se sentait à l'écart d'un bonheur qui pourtant la concernait, mais qui l'avait quittée ; sa tâche était de le reconquérir.

Vers midi, on vint les prévenir que l'ambulance attendait ; les médecins et infirmières firent leurs adieux à la famille entière. On souleva Agathe pour l'asseoir dans le fauteuil roulant ; Victor la poussait ; son père les devançait ; sa mère lui caressait les cheveux, marchant à côté du fauteuil ; Agathe, toujours silencieuse, observait une dernière fois les lieux qui avaient accueilli un tournant important de sa vie. On arriva au rez-de-chaussée. La soulever pour la coucher sur la civière fut l'histoire d'une seconde ; elle était encore plus légère qu'auparavant. À ses côtés, Victor s'installa, tandis que ses parents suivaient en voiture. Un long voyage commença, dont elle ne vit que des taches de ciel.

34.

Victor tenait la petite main, fermement; elle était froide; la sienne était chaude; il ne parvenait pas à la réchauffer, ni elle à la refroidir; mais elles s'agrippaient l'une à l'autre. Dès qu'ils arrivèrent dans la banlieue parisienne, Victor décrivit chacune des maisons, chacune des rues empruntées; on approchait du but; sous ses paroles se reconstituait leur ville.

Enfin, la porte d'Orléans, Denfert, le boulevard Saint-Michel, rue Soufflot, et la rue Saint-Jacques. On y était. L'ambulance s'arrêta; on ouvrit la porte; un froid glacial s'engouffra, qui la saisit au visage. Victor la recouvrit d'une couverture que lui apporta son père; on la descendit. Il s'agissait maintenant de monter les cinq étages à pied, en portant le brancard; les ambulanciers s'en chargeraient; mais, avant qu'ils aient pénétré le hall d'entrée, Agathe leur demanda de s'arreter quelques minutes, qu'elle respire l'air de la ville. Et accoudée sur son bras droit, elle contempla Paris dans les limites étroites de son champ de vision.
Elle avait préféré rentrer chez elle directement plutôt que de séjourner chez ses parents; sa mère travail-

lait beaucoup ; elle ne voulait pas l'obliger à rester à la maison pour s'occuper d'elle ; quant à son père, il écrivait et lisait les manuscrits dans un petit studio au-dessus de l'appartement qu'il avait du mal à quitter pendant la journée ; en outre, ils avaient l'habitude de mener chacun leur vie, tantôt séparément, tantôt ensemble, mais suivant des règles qu'elle préférait ne pas comprendre. Toutefois, elle avait surtout envie de rentrer chez elle, retrouver les livres qu'elle aimait, son travail tel qu'elle l'avait laissé en désordre, sur la grande table de bois, sa cuisine et sa cave ; son appartement était le seul endroit qui échappait à sa hantise des lieux trop connus ; il était enfin l'espace de son intimité, et celle-ci commençait à lui manquer lourdement. Cécilia viendrait la garder lorsqu'elle serait seule ; Victor pourrait s'occuper de la jeune fille quand elle en aurait besoin ; et cette tâche le comblait.

Le coup d'œil sur cet encadré parisien, limité par les immeubles de la rue Soufflot et de la rue Saint-Jacques, la plongea dans une certaine anxiété ; émue de retrouver son paysage, elle comprit que c'est elle qui avait changé. Victor ouvrit la porte, une bouffée d'un parfum familier la pénétra ; son appartement avait son odeur ; elle la replongea avec brutalité dans l'atmosphère parisienne et intérieure qui la reflétait tout entière, la contenait, l'exprimait. Derrière elle, on portait ses affaires ; les ambulanciers la déposèrent sur son lit ; ses parents avaient loué une chaise roulante, pour les premiers jours. Cécilia les accueillit. Elle avait préparé un déjeuner léger, mais ouvert une bonne bouteille pour réconcilier Agathe avec les plaisirs de la vie. Celle-ci n'était pas sûre de pouvoir en jouir immédiatement ; il lui fallait un temps de réadaptation. Enfin les deux hommes en blanc partirent, claquant la porte derrière eux. Elle était chez elle, avec les siens.

Pour la première fois depuis longtemps, elle éprouva un profond soulagement, qui ressemblait à du bonheur.

Tous se restaurèrent ; on mangea, on but. Agathe était assise sur son fauteuil roulant, qu'elle ne maniait pas encore tout à fait bien ; elle s'entraîna à passer les portes, contourner la table sans la toucher. Le seul problème était les deux petites marches qui séparaient sa chambre et le bureau de la cuisine et de la salle de bains ; c'est aussi pour cela que, dans les premiers temps, elle avait besoin d'une aide quasi permanente ; cette dépendance ne lui était pas agréable ; mais elle ne durerait pas longtemps.

Enfin ses parents prirent congé, promettant de revenir. Cécilia les suivit, ne désirant pas importuner les deux jeunes gens qui se retrouvaient enfin à Paris.

Victor et Agathe restèrent seuls, un peu étonnés. Après un moment de silence, Agathe lui demanda de lui chercher un bon roman qu'elle commencerait pour inaugurer son retour. Ils passèrent l'après-midi, allongés côte à côte, enfin dans le même lit, à lire, à se caresser tendrement, à s'endormir parfois.

S'il fut difficile, dans les premiers jours, de retrouver un rythme, ils furent bientôt conquis par l'isolement insolite dans un Paris agité ; ils ne voyaient personne, ne décrochaient que rarement le téléphone, ne recevaient que les parents d'Agathe, ne regardaient la télévision que lorsque passait un bon film, n'écoutaient plus la radio, ne lisaient plus les journaux. Agathe avait décidé de se replonger dans les livres de philosophie ; il lui semblait retourner au cœur des choses, après un long détour par le divertissement, la vie festive, les rapports humains trop compliqués, elle épurait sa vie de tout ce qui l'encombrait inutilement, pour n'en garder que l'essentiel. Cette fois, elle ne pouvait éluder la source même de son inquiétude, cette angoisse qui avait aussi le caractère du désir. Agathe était fatiguée de courir ; pourtant, elle avait l'intention de surmonter le vertige qui la saisissait par moments. Ses livres étaient son meilleur rempart ; la présence de Victor l'apaisait.

Victor, de son côté, était heureux ; la vie dans un cocon l'envahissait d'un bien-être dont il jouissait sans limites. Les journées étaient grises, justifiant une vie hermétiquement close dans un appartement parisien. Plus il restait enfermé, moins il avait envie de sortir : la présence absolue d'Agathe était devenue comme une drogue pour le jeune homme. Ce bien-être différait le moment où il lui parlerait, le rendait presque impossible ; le temps s'était arrêté ; lorsqu'il reprendrait son cours, Victor pourrait sortir de lui-même et de cette vie en vase clos, rompre le bonheur indicible qu'ils partageaient dans le silence, la lecture, les parfums de cuisine, les caresses ; vivre ainsi et mourir.

Néanmoins, comme il l'avait promis, il descendait trois fois par semaine pour téléphoner à Suzanna ; il n'avait pas besoin d'elle en ce moment, mais il n'avait pas épuisé tous ses désirs ni comblé tous ses manques à l'égard de cette femme. Il l'aimait encore, et se connaissait suffisamment pour se savoir fidèle, au fond. C'est pour cela qu'il s'obligeait à continuer de l'appeler. Il remontait, une baguette à la main, ou des sacs de courses qu'Agathe l'aidait à ranger.

Un jour, cependant, elle resta à la fenêtre, pour le

regarder marcher dans la rue, ce qu'elle ne pouvait plus faire depuis trop longtemps, même si elle n'en ressentait pas un besoin urgent ; il était amusant de l'observer dans un geste quotidien, banal, et pourtant extraordinaire : marcher à l'air libre. À l'angle de la rue Soufflot, avant de passer à la banque comme il l'avait dit, il s'arrêta à la cabine téléphonique, y demeura longuement, ressortit, et revint sur ses pas, sans s'être rendu à la banque. Agathe ne comprenait pas ; pourquoi avait-il besoin de sortir téléphoner ? Elle pouvait accepter qu'il ait besoin d'intimité pour discuter avec certains de ses amis, son frère peut-être, Azzedine, mais qu'il soit obligé de lui mentir, c'était plus intrigant.

35.

Agathe était mal à l'aise ; elle s'en voulait de se mettre dans un état de défiance, et préféra se taire. Elle ne put s'empêcher de l'observer deux jours plus tard, lorsqu'il sortit faire des courses ; à nouveau, il se dirigea vers la cabine téléphonique.

Cette fois, Agathe éprouva une crainte. Elle ne pensait pas qu'il pût lui mentir ; elle espérait se tromper. Ses bras tremblaient sur le rebord du fauteuil roulant, ses mains serraient les roues à s'en faire mal ; elle attendit, le cœur battant, le retour de Victor. Au bout d'un quart d'heure, il remontait en courant les cinq étages, des sacs plastique plein les bras ; il lui semblait joyeux mais vit à son regard que quelque chose n'allait pas.

Le visage d'Agathe était glacial, ses mains tressautaient. Soudain, Victor eut peur ; que savait-elle au juste ou qu'avait-elle appris ? Les scrupules qui gisaient, refoulés, resurgirent avec violence, lui faisant imaginer le pire ; le pire était vrai : Agathe lui demanda d'un trait pour quelle raison il avait jugé bon de lui cacher ses coups de téléphone réguliers.

Un silence se fit dans la pièce ; Victor regardait

Agathe qui avait tout compris. Enfin, après une minute intolérable de mutisme, il exposa froidement la situation.

Agathe restait droite sur son siège, les membres rigides, le regard indifférent, les lèvres tendues, les traits tirés ; seul un léger tremblement de la main révélait la tempête intérieure. Il la savait déchirée entre ses principes de vie et la blessure béante de son cœur qui l'empêchait de parler, d'agir. Un long silence se réinstalla, un silence douloureux qu'aucun d'eux ne parvenait à rompre.

Finalement, Agathe prononça difficilement des phrases qui semblaient s'arracher de sa gorge. Elle n'avait pas à juger la vie de Victor. Elle lui demandait du temps, beaucoup de temps, jusqu'à ce qu'elle le rappelle.

Victor prit ses affaires, et sortit ; avant de fermer la porte, il la remercia pour cette semaine passée à ses côtés ; c'était peut-être la plus belle de sa vie ; il en espérait d'autres : sans elle, il n'y parviendrait pas. La porte se referma.

Une solitude immense s'abattit ; un pan du monde s'écroulait. Un cri étouffé poignardait sa gorge ; rien ne pouvait en sortir. Qu'aurait-elle pu dire ? Le retenir, l'insulter, le bannir ?

Ce n'est qu'au bout d'un jour et d'une nuit qu'elle parvint à pleurer. Faible et nue, on lui avait enlevé ses armes, ses assises, ses certitudes ; elle avait elle-même rétabli ce principe au cœur de leur mode de vie ; elle y croyait comme à la seule source de richesse ; mais la théorie ne lui était pas d'un grand secours, en cet instant de défaillance ; une douleur l'avait blessée, et elle ne parvenait pas à reprendre son souffle ; ainsi, elle perdait les êtres qu'elle aimait ; ce devait être une loi.

Comment avait-elle pu avoir tant confiance en elle ?
Cette nouvelle avait le goût de la mort, elle la plongeait tout à coup dans la même solitude qui avait suivi
la perte d'Antonio ; cette solitude qui n'est qu'un
vide, vide d'êtres aimés, vide de sens, vide de soi.

Victor n'était pas mort ; Victor était là qui l'aimait,
mais qui lui échappait ; elle avait préconisé cette
liberté ; aujourd'hui, elle la subissait comme une
atteinte à son intégrité.

Agathe allait se reprendre.

Victor venait de lui apprendre qu'il aimait une
autre femme ; elle avait beau se répéter cette phrase,
elle ne la comprenait pas, et cette incompréhension la
ramenait obstinément vers Antonio.

Pourquoi ces souvenirs, en cet instant précis ? Pourquoi cette confusion du temps et de l'espace, cette
coïncidence des souffrances qui n'étaient pas de
même nature ? Après les avoir surmontés durant une
année de mutisme, ces souvenirs s'étaient peu à peu
désincarnés, remplacés par un désir irrépressible de
vivre, et elle avait vécu, enrichissant son expérience
de toutes les manières possibles d'exister, jouissant,
riant, aimant. Son bonheur était authentique. Pourtant,
depuis un mois, cet état inépuisable de gaieté,
d'enthousiasme, s'était peu à peu altéré ; d'abord
insensiblement, tandis qu'elle s'entraînait pour le
concours hippique ; puis l'accident et la mort qui était
venue la chercher pour finalement la manquer. Enfin
Victor, qui lui révélait cette liaison, cette passion,
qu'elle refusait de tout son corps, de tout son être.

Cette épreuve la replongeait dans l'état de désespoir qu'elle avait connu, des années auparavant ; mais
elle avait déjà vécu, rien ne la détruirait plus. Si elle
restait fidèle à ses convictions, elle comprendrait la

disproportion de cette réaction. Agathe n'en voulait pas à Victor ; elle aurait raison de la douleur qui écrasait tous ses membres, jusqu'à sa voix, plus brisée que d'habitude, dont chaque mot était un arrachement.

Agathe était déchirée par un dilemme qui mettait à l'épreuve le sens de sa vie et de sa sensibilité meurtrie, la fidélité à soi et son amour blessé. Victor n'en devait rien savoir ; c'était le moment crucial de son existence ; et c'est lui qui l'avait ainsi conduite à la mettre en jeu. Il était temps de confronter à la théorie la pratique, de les concilier en acceptant de souffrir ; y renoncer, c'était aussi accepter de mourir ; qui a jamais prétendu pouvoir vivre sans souffrir ?

Victor était reparti pour Londres, au bout de quelques mois de vie parisienne. Il ne reçut aucun appel d'Agathe.

Agathe avait besoin de se retrouver seule, en pensée aussi bien que physiquement. Elle passait ses journées enfermée, ne désirant voir personne ; le temps de la légèreté était passé. Hadrien, de son côté, s'était installé avec Fanny ; ils avaient finalement décidé de rester ensemble. Agathe en était soulagée ; elle ne pouvait plus porter la détresse de son ami quand elle-même était plongée dans des heures d'obscurité. Ils étaient partis quelque temps en voyage. Les vacances de février avaient vidé Paris. Cet isolement était tout ce qu'elle désirait.

Le temps passa. La vie avait repris son cours, une douleur lancinante l'accompagnant jusque dans ses instants de joie, mais cette douleur avait aussi permis l'irruption de la béatitude. Agathe éprouvait parfois le sentiment indicible d'avoir réussi à créer sa vie ; et ce

sentiment avait quelque chose à voir avec l'éternité ;
dans ces moments, elle était d'une force inaltérable ;
alors le monde lui appartenait ; elle était le monde plutôt qu'elle ne l'avait.

Mais ces instants de grâce étaient encore trop rares,
et la replongeaient dans une solitude que les morts
envahissaient à nouveau.

Elle passait ces journées étranges enfermée chez
elle, regardant parfois, par la fenêtre, la vie qui sour-
dait en bas, dans la rue ; les cris du Luxembourg lui
parvenaient amenuisés, les voitures, les rires, les discussions qui s'envolaient du café qui faisait l'angle ;
et cette impression de vie pouvait la plonger dans une
mélancolie sans fin comme la rappeler à ses propres
devoirs, d'être, d'agir, de rire aussi, comme les autres,
plus que les autres. Elle se rasseyait à son bureau, ten-
tant d'avancer dans sa thèse, sans grand succès. L'inspiration lui manquait ; le travail avait perdu de sa
valeur ; ce n'était pas la paresse ; il s'agissait plutôt
d'une quête de l'essentiel. Elle regardait par la vitre,
bercée par le *Stabat Mater* de Pergolèse ; seule, elle
était seule pour affronter et inventer sa vie.

À force de regarder par cette fenêtre, salie par les
traces de doigts, elle finit par s'apercevoir qu'elle était
observée.

Elle n'avait jamais remarqué que l'appartement
d'en face avait changé de locataire ; c'était cette fois
une femme trop âgée pour être étudiante ; mais pourquoi l'observait-elle ainsi ? Le jeu était loyal ; il est
vrai qu'elle-même avait passé des heures à contempler la vie imaginée de ses voisins ; pourtant, de devenir l'objet de cette curiosité troubla Agathe. Elle
n'avait pas encore eu le temps d'observer l'inconnue,
qui semblait seulement rentrer tard le soir, et se lever

tard le matin. Ses traits n'étaient pas tout à fait nets ; elle savait seulement qu'elle était belle. Mais comment pouvait-elle le savoir, n'ayant détaillé aucune de ses formes ? Elle n'en avait aperçu qu'une silhouette vêtue ; et seules les couleurs de ses vêtements lui restaient en mémoire. Agathe réfléchit un moment ; pourquoi la trouvait-elle belle ? Peut-être était-ce une démarche, un déhanchement particulier, une... sensualité. Voilà le mot ; la femme d'en face était indéniablement sensuelle, et l'insistance avec laquelle elle l'observait à travers sa vitre la rendait plus attirante encore. Lorsqu'elle prit conscience de l'opinion qu'elle s'était forgée malgré elle, elle décida de scruter plus attentivement le visage, les gestes, les habitudes de la jeune femme. Sa curiosité avait été réellement aiguisée par la silhouette émouvante, la chevelure défaite le matin, et tirée le soir, l'indiscrétion des regards, leur insistance ; tout cela l'intriguait, au point de lui faire oublier momentanément sa mélancolie ; tout son être se tendait lorsque la lumière s'allumait, vers minuit et demi, dans la chambre d'en face ; puis elle attendait que la lumière s'éteigne pour aller dormir, reprenant son poste dès le matin.

Au bout de quelques jours, Agathe décida d'inverser les rôles, et éteignit la première la lumière de sa chambre, pour être la seule observatrice, rattraper le retard pris sur son vis-à-vis. Cette dernière sembla comprendre la manœuvre ; elle en manifesta une certaine colère, rentrant de plus en plus tard ; mais elle ne ferma jamais les volets.

Dès qu'elle arrivait chez elle, elle se débarrassait d'un geste ample et beau de son manteau, s'approchait de la fenêtre, d'un pas félin, précautionneux, pour tenter d'observer son observatrice : l'obscurité de la chambre d'Agathe la contraignait à se replier sur les gestes quotidiens qu'elle accomplissait avec un mécontentement manifeste, jetant ses affaires une à une sur le parquet parsemé comme un champ de coquelicots ; elle devait alors brancher la musique, ou peut-être la télévision, passait un coup de téléphone, ou se mettait au lit, après s'être servi un whisky sec et allumé une dernière cigarette, sur laquelle elle tirait avec une certaine anxiété.

Ce ne fut qu'au bout de deux semaines d'observation qu'Agathe put collecter ces informations. Alors, il lui sembla loyal d'allumer à nouveau, un jour sur deux, une fois minuit passé, pour laisser une marge de manœuvre à la jeune femme frustrée, qui avait dû renoncer à sa passion d'observatrice ; certes, elle se rattrapait le matin, mais la vision était moins bonne ; à cette heure, qui était celle du déjeuner, Agathe s'activait toujours de la cuisine à sa chambre, de sa chambre à son bureau ; il lui arrivait même de sortir, pour faire des courses ou rejoindre des amis au café, ce qu'elle faisait rarement depuis son retour à Paris. Elle était lasse des joies qu'elle n'éprouvait plus avec la même perfection, la même spontanéité ; il lui fallait en inventer de nouvelles qui aient le privilège de la fraîcheur et de la nouveauté. C'est pour cela qu'elle restait fascinée par cette fenêtre.

Un soir, les rideaux n'étaient pas tout à fait tirés ; la jeune femme était vêtue d'un déshabillé noir : ce fut comme une apparition à la fenêtre, l'illumination d'une beauté provocante aussi bien que troublante ; la chevelure abondante, les lèvres rieuses et épaisses, les seins généreux et les hanches féminines cédant quelque peu à leur promesse d'embonpoint, la taille fine et les cuisses longues. Ses gestes étaient lents, arrondis, les bras gracieux, le port de tête fier, mais habité par autre chose ; et s'approchant de la fenêtre, jetant un regard vers la chambre d'Agathe, elle laissa volontairement entrouverts les rideaux. La scène était floue mais lumineuse. Il y avait chez cette femme un désir de provocation qui troublait Agathe.

Et toujours cette même sensualité qui dessinait ses postures, ses gestes, la manière dont elle relevait négligemment sa lourde chevelure, et jusqu'à son regard obsédant qui fixait inlassablement la fenêtre noire, comme s'il devinait la jeune fille derrière ce carreau tacheté de ronds d'haleine. De fait, Agathe fut quasiment certaine, un soir, que cette femme la savait dissimulée dans l'obscurité. Campée devant la vitre, elle regardait fixement en direction d'Agathe ; il lui sembla même qu'elle la regardait dans les yeux, plongeant son regard dans le sien, hypnotisant sa pensée immobile, troublant ses sens, paralysant ses mouvements. Agathe prit peur, et ferma violemment les rideaux ; c'était avouer sa présence si l'autre ne l'avait pas effectivement aperçue ; elle se rendit compte de sa faute, trop tard ; d'ailleurs, elle était persuadée que la femme l'avait vue. Sa nuit fut hantée de rêves étranges qu'elle préféra oublier le lendemain matin, mais dont l'atmosphère la poursuivit jusqu'à la fin de la journée, avant qu'une autre nuit ne la replongeât dans cet état.

C'est au bout de trois jours hantés des mêmes images qu'elle décida d'affronter cette inconnue qui la dérangeait jusqu'au cœur de ses nuits. Le soir, vers minuit et demi, elle n'alla pas éteindre la lumière, comme elle le faisait parfois et se posta au lieu privilégié de ses observations.

Une demi-heure plus tard, l'étrange femme pénétrait dans l'appartement. Elle jeta négligemment son manteau sur le lit et, levant la tête, s'aperçut que la chambre d'Agathe était éclairée ; la lumière était allumée ; Agathe était là, dans une position à son tour provocante qui semblait lui demander des comptes, ou tout au moins attendre d'elle une réaction explicative, définitive. Elle fut surprise, l'espace d'une seconde, mais se reprit aussitôt. Après avoir enlevé le pull col roulé, découvrant un petit T-shirt en soie marron, elle s'approcha lentement de la fenêtre, y appuyant ses dix doigts. C'est alors qu'elle sourit, doucement, angé-

liquement, sensuellement, d'un sourire énigmatique
qui plongea Agathe dans le trouble ; la femme souriait, toujours plus malicieusement ; à cette sensualité
provocante, presque insultante, se mêlait une certaine
naïveté, si bien qu'Agathe demeurait perplexe, les
yeux ouverts d'étonnement, les sourcils froncés, les
lèvres indécises, le cœur battant. Et comme malgré
elle, elle se mit à sourire à son tour, d'un sourire incertain, mal assuré, qui s'ancrait peu à peu sur son
visage, jusqu'à en faire trembler la peau ; ce sourire se
transforma en rire, en rire ininterrompu et incontrôlable qui s'empara de tout son corps, comme un halè-
tement qui la parcourait de soubresauts ; la femme en
face riait elle aussi, d'un rire joyeux, d'un rire bon,
d'un rire aimant. Elles rirent ensemble, ne pensant
plus à rien, inconscientes, emportées par la joie
étrange de leur rire, sa force irrépressible, son diabo-
lisme peut-être.

Le téléphone sonna, rappelant violemment Agathe
à la réalité ; son rire cessa brusquement ; elle fit un
signe d'adieu à l'apparition qui l'obnubilait chaque
soir, ferma les rideaux, n'alla pas répondre. Sa nuit la
transporta dans un univers plus étrange encore que les
nuits précédentes, un univers qu'elle ne voulut pas
quitter le matin, se forçant à dormir, pour que ne lui
échappe aucun murmure, aucune caresse nocturne,
combattue par la lumière du jour.

Le soir, la femme à la douceur inquiétante était au
rendez-vous, vêtue d'un kimono de soie blanche. Ses
cheveux étaient défaits ; les paumes contre la vitre, y
dessinant des ronds de buée, elle attendait Agathe ;
celle-ci l'avait aperçue ; il était plus tard que d'habitude, aussi s'était-elle couchée pour lire son roman ;
lorsque la lumière d'en face s'alluma, elle se leva

avec précaution, pour observer les gestes de l'habitante mystérieuse ; elle ne put la voir, cachée dans la salle de bains, ou repliée dans une autre pièce inaccessible ; elle alla dans la cuisine se servir un verre de vin ; et c'est lorsqu'elle en sortit que, levant la tête, elle aperçut la jeune femme à la fenêtre, encadrée par la lumière de la pièce. Agathe frissonna d'émotion et de peur ; elle finit par s'avancer lentement vers la fenêtre, le vin voguant dans sa coupe ; l'autre la regardait fixement, toujours cet étrange sourire sur les lèvres ; et à nouveau, Agathe ne put s'empêcher de répondre à ce sourire, faiblement au début, timidement aussi, mais, au fur et à mesure qu'il se dessinait sur ses lèvres, un long frisson parcourut la longueur de son corps ; les yeux de la femme la regardaient toujours, immuablement, sa main avait quitté la vitre, y laissant l'empreinte de la paume, pour venir caresser son épaule soyeuse que recouvrait le tissu délicat ; son geste était doux, profond, son geste attisait un désir, encore à l'état naissant, qui peu à peu s'empara du corps de la jeune fille à peine remis de ses blessures ; son cœur battait violemment dans ses tempes, et flottaient autour d'elle ce sourire imperturbable, ces yeux tristes et gais, cet air enfantin, cette malice, tout ce qui appartenait à Agathe et qu'elle voyait porté par une femme douce, d'une émouvante beauté.

Sa nuit fut agitée comme les précédentes ; elle se réveilla la tête lourde et le corps meurtri ; jamais il n'avait vécu avec autant d'intensité depuis qu'elle était rentrée de l'hôpital ; il lui semblait renaître ; ainsi se mêlaient dans ses rêves des corps d'hommes et de femmes, des danses tribales et des courses d'animaux, des gestes de tendresse, des pièces calfeutrées aux tentures rouges, des statues de marbre lumineuses. La journée ne fut qu'une longue attente meublée de lectures, d'écriture, de traductions, de télévision, et de repas ; enfin, le soir vint.

Vers minuit, les battements de son cœur commencèrent à s'accélérer. Ses bras furent parcourus d'insensibles tremblements, et ses lèvres de légers soubresauts ; une chaleur envahit chacun de ses membres ; un frisson glissa du creux de ses reins à la naissance des cheveux. Sa gorge était sèche. Debout devant la vitre, face à la ville qui s'enfonçait dans la nuit, elle attendait l'apparition de ce corps plein et offert, dont les ombres de la pièce dissimulaient subtilement les secrets.

La lumière d'en face s'alluma et la femme apparut. Tandis qu'elle marchait vers la fenêtre comme à son habitude, elle s'arrêta, surprise, et décrocha le téléphone posé sur un fauteuil. Son visage paisible se crispa et elle porta une main à sa poitrine comme pour se protéger d'un coup. Agathe voyait ses lèvres s'agiter. La femme criait probablement, puis elle laissa tomber le combiné et se tourna vers la fenêtre.

Elle dévisageait Agathe d'un air épouvanté et lui adressait des signes incohérents. Des gestes confus de négation, d'angoisse, qui brassaient l'air dans une pantomime grotesque et suppliante.

Au même moment, le téléphone sonna. Agathe, qui s'apprêtait à ouvrir la fenêtre pour essayer de comprendre ce qui effrayait tant sa voisine, s'immobilisa, interdite. Les sonneries se suivaient par saccades, obstinées, agressives, irritantes. Agathe demeurait indécise, nerveuse. Le son strident martelait ses oreilles. La femme appuyait ses mains et ses bras aux carreaux et secouait la tête de plus en plus faiblement.

Lasse, accablée, éperdue. Son corps glissait le long de la fenêtre, le regard immuablement fixé sur Agathe. Le téléphone ne s'arrêtait pas. N'y tenant plus, Agathe décrocha, observant, fascinée, les mouvements confus de la femme. Une voix lui parvint, anxieuse mais nette. Une voix trop connue, qui prononçait son nom. Et tandis qu'elle contemplait le visage déformé, le corps ramassé sur lui-même comme une sculpture brisée, elle entendit Victor déclarer lentement qu'en face de chez elle s'était installée Suzanna.

— Qui ?
— Suza. Tu sais ?
Agathe savait.

Suzanna avait perdu la raison. Elle avait dit à Victor qu'elle voulait rencontrer Agathe, mais il ne l'avait pas crue. Il venait d'apprendre qu'elle avait loué l'appartement d'en face. Il ne comprenait absolument pas comment elle s'était débrouillée, mais il voulait qu'Agathe sache qu'il n'y était pour rien. Ils venaient de se disputer violemment, et il l'avait avertie qu'il allait lui téléphoner sur-le-champ.

— Elle est belle, dit Agathe doucement.
— Quoi ?
— Suzanna est très belle, Victor. Tu peux revenir maintenant.

Cet ouvrage a été réalisé par la
SOCIÉTÉ NOUVELLE FIRMIN-DIDOT
Mesnil-sur-l'Estrée
pour le compte des Éditions Julliard
en avril 1998

Imprimé en France
Dépôt légal : avril 1998
N° d'édition : 39044 - N° d'impression : 42442